ほんとに旨い。
ぜったい失敗しない。

ラクうま
ごはんのコツ

瀬尾幸子

新星出版社

今日は
なに
作ろっか?

はじめに

こんにちは。瀬尾幸子です。数ある料理本の中から『ほんとに旨い。ぜったい失敗しない。ラクうまごはんのコツ』を手にとっていただき、ありがとうございます。

思ったように味が決まらなかったり、仕上がらなかったりという経験は誰にでもあると思います。

でも料理には必ず、おいしくなるにも失敗するにも理由があります。この本ではなぜおいしくなるのか、なぜ失敗しないのか、その理由やコツをなるべく詳しく、わかりやすくお話ししています。大事なところは大きな手順写真を使って〝見える化〟しました。

定番おかずの章では、家庭で人気のいつものおかずが失敗なく、さらにおいしくなるポイントを、素材別の章では、各素材の特徴を活かして、おいしく料理するためのコツを紹介しています。

私のレシピは手間も調味料もとっても少ないです。これも失敗しない大事な要素。みなさんのいつもの作り方と、手間や調味料がちょっと違っているかもしれません。でもお願いです。まず一度目は、レシピ通りに作ってみてください。そして基本の味を覚えてから、自分の好みの味にアレンジしてください。

この本を読んでいただくことで、みなさんやみなさんのご家族が「お家でごはんが食べたい」と思う機会が増えたら、とてもうれしく思います。

おいしい家ごはんはココから
定番おかず

作ってみたくなる簡単さ
肉や魚介をもっと食べやすくするコツ

身近過ぎて気付かなかった
卵をごちそうにするコツ

デザイン　細山田デザイン事務所
撮影　貝塚　隆
スタイリング　大畑純子
原稿作成　横田悦子
エネルギー計算　江沢いづみ
調理アシスタント　石川葉子
企画・編集　シーオーツー（松浦祐子）

この本の使い方 ようこそ、ラクうまの食卓へ。

タイトルが一番大切なコツになっています。

何をおいてもこれだけは！という、おいしく仕上げるためのコツです。「肉じゃが、といえば強火・短時間」という具合にレシピ名と一体で覚えてください。

このコツが大切な理由をここで説明。

理由がわかるとコツが覚えやすくなります。

手順で大事なコツをふきだしで。

おいしさを左右するポイントなので、必ず読んで。

定番おかず

肉じゃがは強火・短時間で仕上げれば煮崩れない。

肉じゃ[illegible]じつは[illegible]簡単な料理。材料と調味料を鍋に入れ、強火で煮るだけでおいしい肉じゃがので[illegible]あがりです。大事なのはとにかく強火で煮ること。弱火で長時間煮ると、ジャガイモが煮崩れて失敗のもとに。強火で煮ればブクブクと立つ泡が落としぶたの代わりもしてくれるので、煮汁が均等にいきわたります。火を止めて4～5分おくと、具材に煮汁がしみておいしくなるので、しみる分の煮汁が鍋にある間に火を止めま[illegible]。ジャガイモの種類はお好みで。

016

肉じゃが

310 kcal

材料［2～3人分］

ジャガイモ … 2個(300g)
タマネギ … 1/2個(100g)
ニンジン … 3cm(50g)
インゲン … 3本
牛薄切り肉 … 100g

しょうゆ … 大さじ2
砂糖 … 大さじ1

作り方

1. ジャガイモは皮をむいて一口大に切る。タマネギは1cm幅に切る。ニンジンは5mm幅のイチョウ切りにする。インゲンは筋をとって2cmに切る。牛肉は5cmに切る。
2. 鍋にインゲン以外のすべての材料を入れて水(分量外)をひたひたに注ぎ、しょうゆ、砂糖を入れる。
3. 鍋を強火にかけ、煮立ったらあくをとって、強火のまま煮汁が鍋底から2cmくらいになるまで煮る。
4. インゲンを加えて具の上下を返すように混ぜ、2分ほど煮て火を止める。4～5分おいて具に煮汁をしみ込ませる。

コツ!!

煮始めの水の量は材料がひたひたになるこれくらい。

ブクブクと立った泡が落としぶたの代わりになる。

017

状態、やり方を大きな写真で見える化。

迷うところ、間違えやすいところを見て覚えて。

まずは1回この作り方通りに作ってみてください。

紹介しているレシピは、おいしさを確保できるギリギリまで手順、材料を簡単にしています。まずこの作り方で大事なところを体得して、自分なりのアレンジはそれから。

素材のおいしい取り扱い方をタイトルにしています。

素材の料理法はいろいろありますが、ぜひ知ってもらいたい素材、やり方を絞って紹介しています。

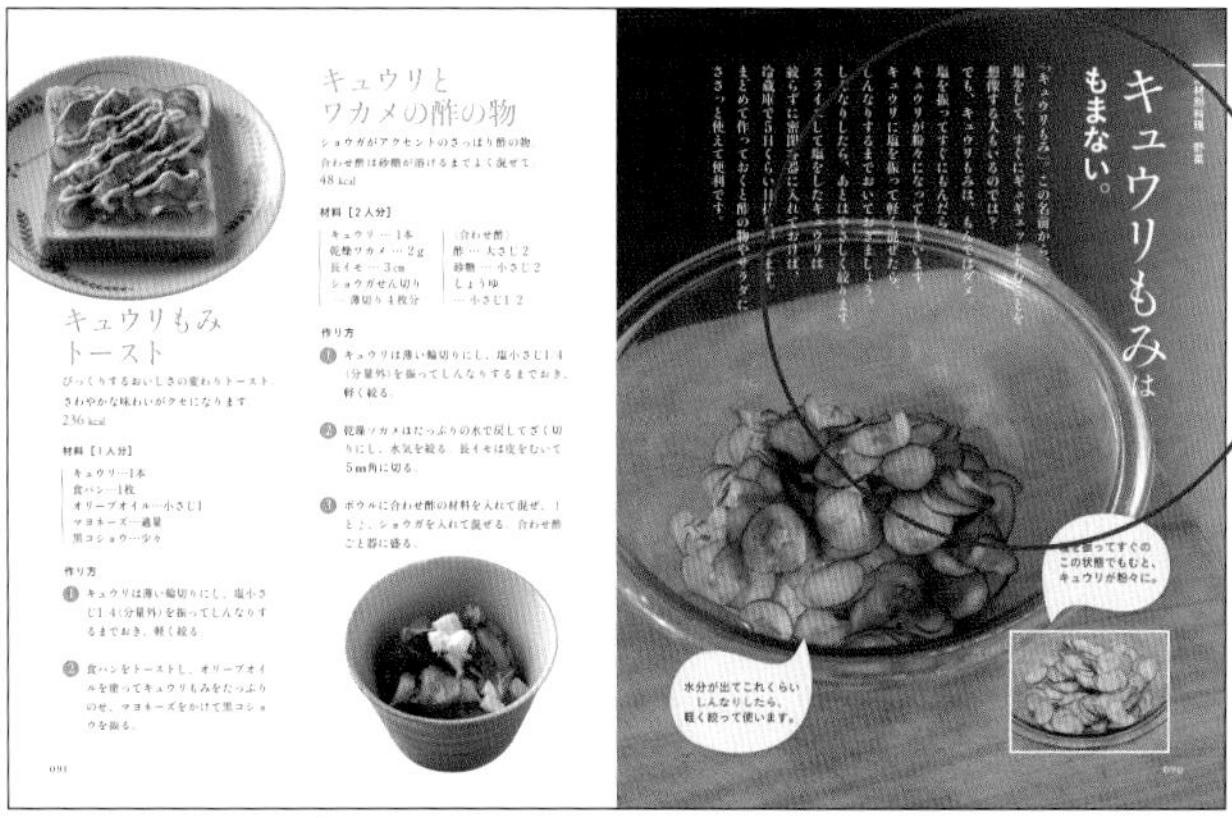

手順で覚えておきたいことを引き出して説明。

下ごしらえした素材のレシピを続けて複数紹介。

せっかく素材のおいしい下ごしらえを覚えたら、それを使ったレシピでぜひレパートリーを増やして。

この本の決まりごと

- 材料と作り方は、２人分を基本としていますが、レシピによっては作りやすい分量で表記しています。
- 材料の分量は、味付けやできあがりに影響がある場合には、個数と共に重量(g)も表記しています。
- 大さじ１は15mℓ、カレーを食べるスプーンぐらい、小さじ１は５mℓ、ティースプーンぐらいで、いずれもすりきりではかります。米１合は180ccです。
- しょうゆは濃口しょうゆ、バターは有塩バター、砂糖は上白糖を使用しています。
- だし汁は市販の顆粒だしの素(昆布やかつお風味)を、表示の濃度で使用しています。
- 電子レンジの加熱時間は500Wを目安にしています。600Wの場合は２割減の時間で加熱してください。
- オーブントースターの加熱時間は同じW数でも機種によって焼き具合が違う場合がありますので、様子を見ながら加減してください。
- エネルギー量表記は『日本食品標準成分表2010』をもとに算出しています。
- エネルギー量計算はとくに表記がない限り、１人分あるいは作りやすい分量で表示しています。材料の「あれば」「好みで」は計算に含んでいません。
- 豚肉のエネルギー量はすべて肩ロース肉で計算しています。豆腐は木綿と絹ごしどちらでもかまわない場合、木綿豆腐として計算しています。
- 記載の人数分よりも多く作る場合、煮物等は煮詰まり具合が変わるので、味をみて調味料の分量（調味料同士の比率は同じで）を調整してください。

ラクうまのための基本ルール

この本のレシピで、失敗なく、おいしく作っていただくための基本的なルールです。

調味料のはかり方

調味料は、アバウトにはかると味に影響します。まずはレシピの分量通り正確にはかりましょう。好みで調整するのは2回目から。塩・砂糖・粉類は容器の中にそれぞれ計量スプーンを入れておくと便利です。

塩、砂糖、粉など

小さじ1/4
小さじ1/2からさらに真ん中に筋をつけ、半量を取り除く。

小さじ1/2
小さじ1をはかり、真ん中に筋をつけ、半量を取り除く。

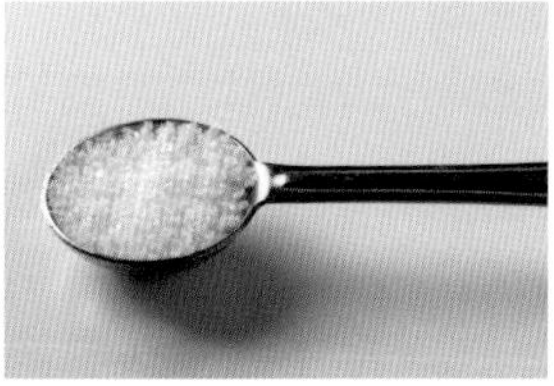

小さじ１
ざっくりとすくい、スプーンの柄などですりきる。

粉類
ふんわりとすくい、スプーンの柄などですりきる。

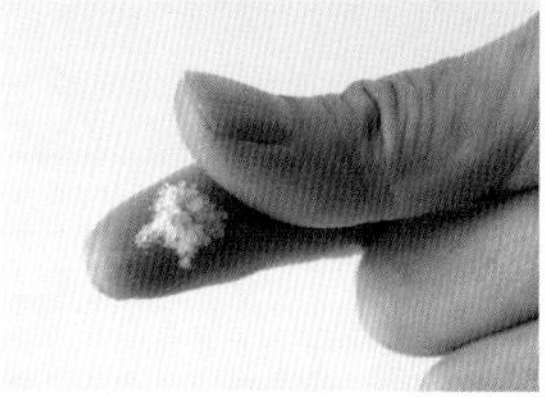

少々
人差し指、親指の2本の指でつまんだ量。

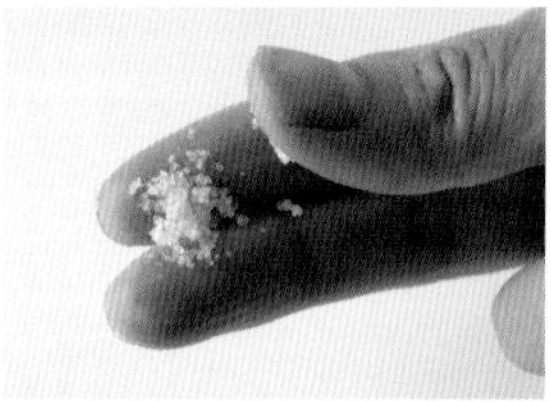

ひとつまみ
人差し指、中指、親指の3本の指でつまんだ量。

しょうゆなど液体調味料

大さじ1/2
スプーンを水平に持ち、スプーンの深さの2/3まで注ぐ。

大さじ１
スプーンを水平に持ち、縁ぴったりまで注ぐ。

水加減

水加減は火の通り具合や味付けに影響します。基本の3パターンを覚えておきましょう。

たっぷり

食材が完全に水につかり、さらに2〜3割の水を足した量。

かぶるくらい

食材全体が水の中にひたるくらいの水の量。

ひたひた

食材の表面が水から少し出るくらいの水の量。

火加減

火加減は鍋の中の様子と鍋底への炎のあたり方で判断します。写真を参考に炎の大きさを覚えて。

強火

表面が泡で隠れるくらい勢いよく

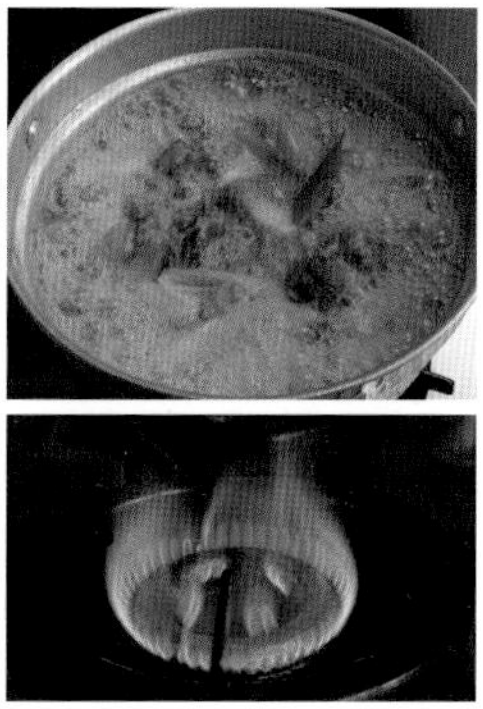

炎が鍋底全体に勢いよくあたっている。炎が鍋からはみ出すのは強過ぎ。

中火

ぐつぐつと全体に煮立っている

炎の先がちょうど鍋底にあたる程度。

弱火

静かにふつふつと煮立っている

炎の高さが鍋底とコンロの真ん中くらいの高さで、鍋底にあたらない。

油の温度

菜箸を油に入れたときの泡の出具合で油の温度を判断します。必ず乾いた菜箸を使いましょう。

高温　180℃

菜箸を油の中に入れたとき勢いよく泡が出る

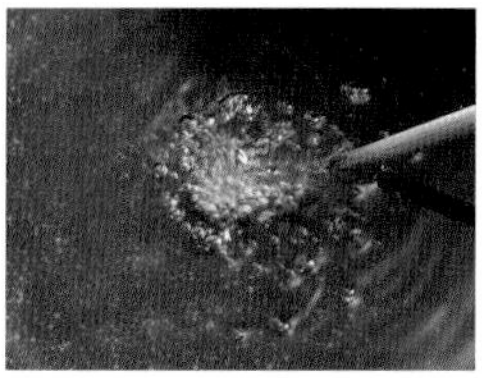

サッと火を通すときや、二度揚げしてカリッと仕上げる場合は、高温で。

中温　170℃

菜箸を油の中に入れたときに泡が出る

天ぷら、フライ、から揚げなど、中まで火を通してからっと揚げる温度。

低温　160℃

菜箸を鍋底につけたときに少し泡が出る

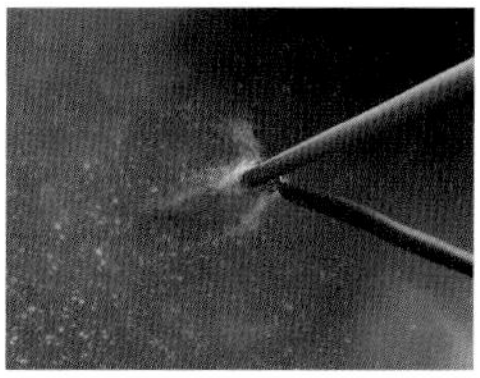

火の通りにくい野菜の素揚げなど、じっくり時間をかけて揚げたいときに。

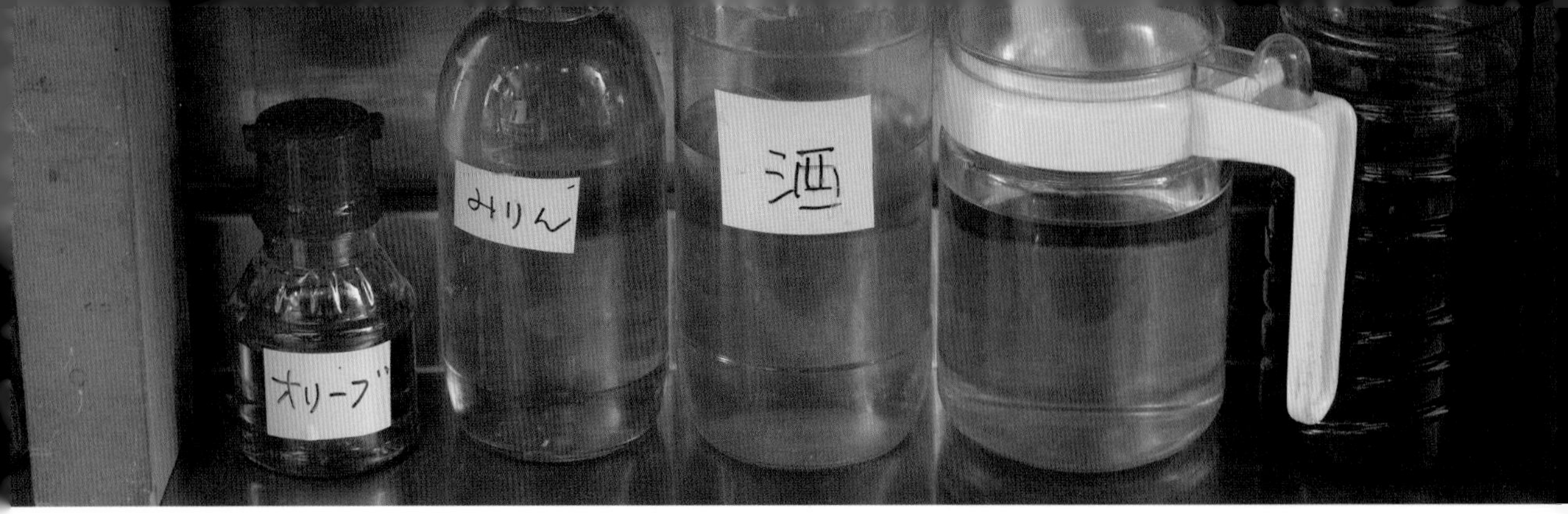

最初は、ごく一般的な調味料をそろえましょう。

普通のものは、どんな食材や調味料とも合う

レシピを見ていただくとわかりますが、私が料理で使っている調味料はごくごく一般的なもの。どこにでも売っている調味料がほとんどです。クセのない普通の調味料のほうが、他の調味料や素材と合わせやすいので、まずは一般的なものをそろえましょう。また、最近は「●●のタレ」といったものもたくさん売っていますが、この本でご紹介しているような基本的な料理なら、一般的な調味料を合わせて自分で作れます。

みそは大豆・米・天然塩のもの。黒コショウはぜひ挽きたてを

私が一番よく使うみそは、大豆、米、塩だけで作られたもの。できれば塩は天然塩を使ったものが、おススメです。みそ本来のもつおいしさが味わえ、素材の旨みも活かしてくれます。

黒コショウを使う場合は、ぜ

そろえておきたい 基本の調味料

- □塩
- □コショウ（黒、白、粗・細挽きなど好みで）
- □しょうゆ
- □めんつゆ
- □ポン酢しょうゆ
- □砂糖
- □酒
- □酢
- □みりん
- □みそ
- □サラダ油
- □ごま油
- □オリーブオイル
- □バター
- □ラー油
- □豆板醤
- □マヨネーズ
- □トマトケチャップ
- □中濃ソース
- □顆粒かつおだしの素
- □固形コンソメ
- □顆粒鶏スープの素

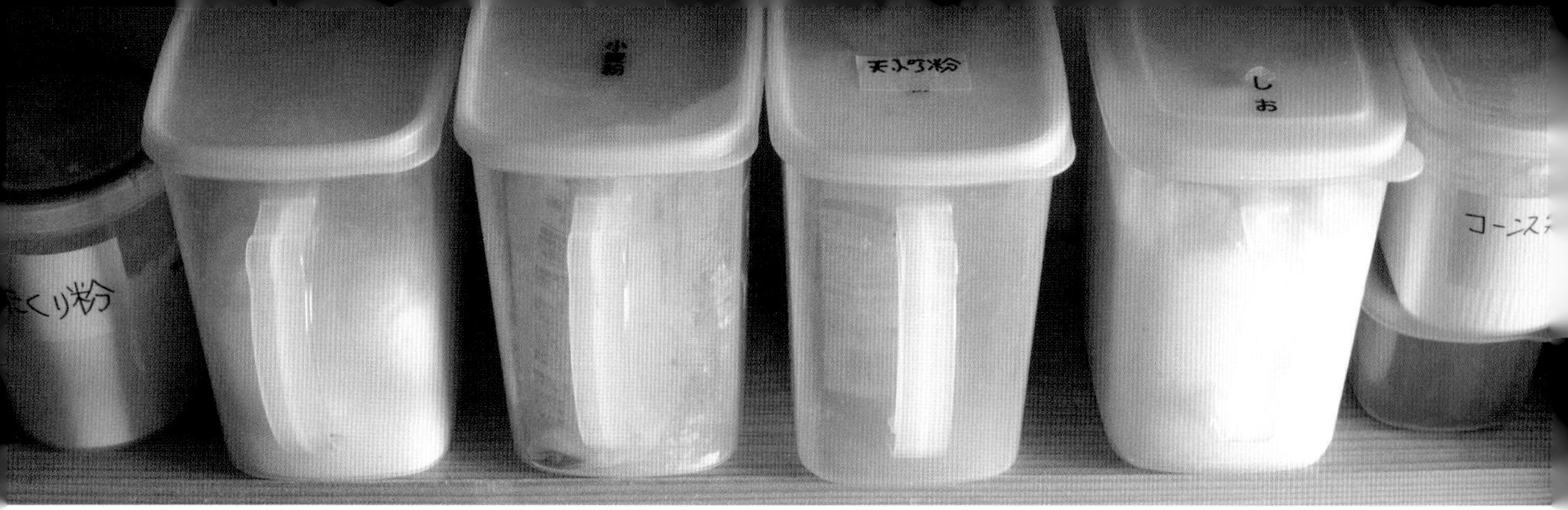

ひ粒（ホール）で挽きたてを。すでにパウダーになったものとはまったく香りが違います。スーパーで売っている小さなペッパーミルに入った黒コショウなら、中身を使いきったあと、補充ができます。

挽きたては香りが違います

液体調味料は扱いやすいサイズの容器に入れ替え

しょうゆや、酒、みりんなど、毎日のように使う液体調味料は、自分の扱いやすいサイズの容器に入れ替えて、手にとりやすい場所に置くと便利です。私は300mlくらいの容器を使っています。料理をする頻度にもよりますが、しょうゆは常温で保存すると風味が落ちてしまうので、1週間くらいで使いきる分だけをここに入れ、あとは冷蔵庫で保存します。

粉類は透明容器に入れると使いやすく保存しやすい

小麦粉や片栗粉などの粉類は湿気を吸いやすいので、封を開けたら透明な密閉容器に入れましょう。容器に入れると自立するので、袋のままよりも保存がしやすく、使いやすくなります。ちょうどいい大きさの容器なら、袋の上部を切って、袋ごと入れておけば容器が汚れず、入れ替えもしやすいので便利です。

- □ カレー粉
- □ 一味唐辛子
- □ 七味唐辛子
- □ 小麦粉
- □ パン粉
- □ 天ぷら粉
- □ 片栗粉
- □ 練りからし
- □ わさび

料理の幅が広がる 調味料・ハーブ

- □ 粒コショウ
- □ ゆずこしょう
- □ 酒粕
- □ 黒酢
- □ 八丁みそ
- □ 食べるラー油
- □ だし昆布
- □ 山椒
- □ バジル
- □ タイム
- □ クローブ

おいしい家ごはんはココから

定番おかず

いつものおかずがワンランクおいしくなる。
また食べたい、いつでも食べたい我が家の味に。

定番おかず

肉じゃがは 強火・短時間で仕上げれば煮崩れない。

肉じゃがは、じつは本当に簡単な料理。
材料と調味料を鍋に入れ、
強火で煮るだけでおいしい肉じゃがのできあがりです。
大事なのはとにかく強火で煮ること。
弱火で長時間煮ると、ジャガイモが
煮崩れて失敗のもとに。
強火で煮ればブクブクと煮立つ泡が
落としぶたの代わりもしてくれるので、
煮汁が均等にいきわたります。
火を止めて4～5分おくと、
具材に煮汁がしみておいしくなるので、
しみる分の煮汁が鍋にある間に火を止めましょう。
ジャガイモの種類はお好みで。

肉じゃが

310 kcal

材料［2～3人分］

ジャガイモ … 2個（300g）
タマネギ … 1/2個（100g）
ニンジン … 4㎝（50g）
インゲン … 3本
牛薄切り肉 … 100g

しょうゆ … 大さじ2
砂糖 … 大さじ1

作り方

1. ジャガイモは皮をむいて一口大に切る。タマネギは1㎝幅に切る。ニンジンは5㎜幅のイチョウ切りにする。インゲンは筋をとって2㎝に切る。牛肉は5㎝に切る。

2. 鍋にインゲン以外のすべての材料を入れて水（分量外）をひたひたに注ぎ、しょうゆ、砂糖を入れる。

3. 鍋を強火にかけ、煮立ったらあくをとって、強火のまま煮汁が鍋底から2㎝くらいになるまで煮る。

4. インゲンを加えて具の上下を返すように混ぜ、2分ほど煮て火を止める。4～5分おいて具に煮汁をしみ込ませる。

コツ!!

煮始めの水の量は
材料が
ひたひたになる
これくらい。

ブクブクと立った泡が
落としぶたの
代わりになる。

定番おかず

ポテトサラダは材料と調味料を、一度に、一気に混ぜる。

お惣菜の定番、ポテトサラダ。
コンビニやスーパー、どこでも売っている
けれど、家で作ったポテトサラダの
おいしさにはかないません。
おいしく作るコツは、すべての材料と
調味料を一気に混ぜること。
混ぜる回数が多くなると、粘り気が出て、
おいしくなくなってしまいます。
冷めると固くなるので、水や牛乳を加えて、
少しゆるめにしておくのも、
おいしく作るもう一つのコツです。
多めに作ったら、翌朝はパンにはさんで
サンドイッチにするのもおススメ。

ポテトサラダ

232 kcal

材料［2人分］

ジャガイモ … 2個
ハム … 2枚
キュウリ … 1/2本
タマネギみじん切り … 大さじ4

マヨネーズ … 大さじ2
塩 … 小さじ1/3
コショウ … 少々
水または牛乳（固さによって）
… 大さじ1～1.5
黒コショウ（好みで）… 少々

作り方

1. ジャガイモは皮をむいて、2㎝の厚さの半月切りにし、水からゆでる。すべての材料を混ぜられる大きさのボウルに、タマネギとマヨネーズを和えておく。

2. キュウリは薄い輪切りにし、塩ふたつまみくらい（分量外）を振り、しんなりしたら水気を絞る。ハムは1㎝角に切る。

3. 箸を刺してすっと通るくらいジャガイモがやわらかくなったら、ゆで汁をきって1のボウルに入れ、熱いうちにつぶす。マヨネーズを片側に寄せ、空いたところにジャガイモを入れるとつぶしやすい。

4. キュウリ、ハム、塩、コショウを加え、一気に混ぜる。固いようなら、水または牛乳を加える。器に盛り、好みで黒コショウを振る。

コツ!!

タマネギの
辛みが消えるので、
マヨネーズと和えて
最低5分おく。

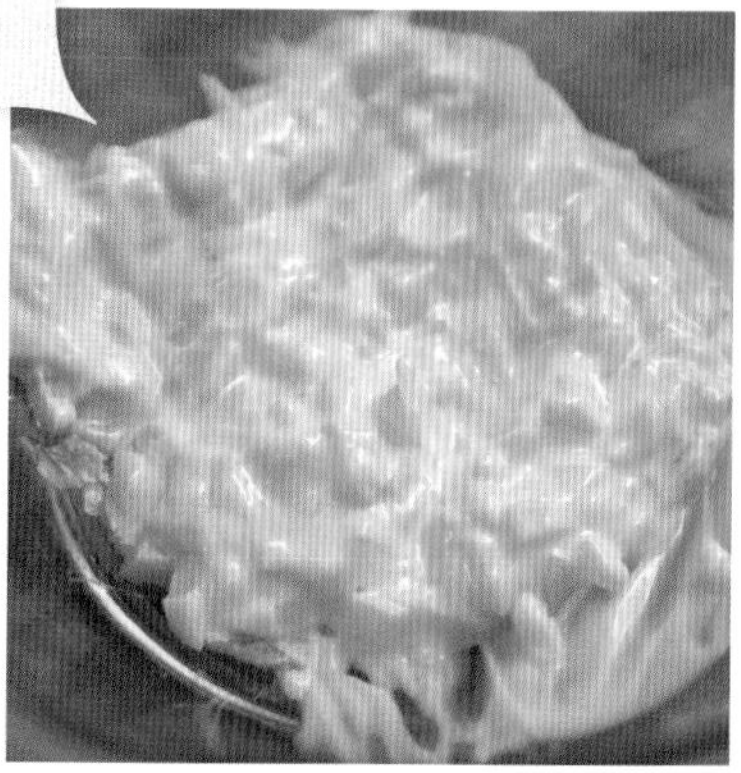

ジャガイモは
冷めてしまうと
つぶしにくくなるので、
必ず熱いうちに。

具と調味料を
一度に入れて、
一気に混ぜる。

ハンバーグは よーくこねて、小さく丸める。

ハンバーグを失敗しないコツは、
小さく作ること。これに限ります。
割れる、生焼け、焼き過ぎなどの失敗は、
小さく丸めればぜーんぶ解決。要は自分の手
に負える大きさで作ることが大切なんです。
食べる量が調整できるのも、
小さなハンバーグのうれしいところ。
子供なら一つ、女性は二つ、男性は三つとか。
私のハンバーグはタマネギを炒めない、
材料を混ぜて焼くだけのハンバーグ。
付け合わせはなんでもＯＫ。
和風のソースでいただくなら、
青菜のおひたしなどを添えても。

ハンバーグ

439 kcal

材料［２人分］

〈肉だね〉
合いびき肉 … 200g
タマネギみじん切り
…1/2個分（100g）
パン粉（乾燥したもの）… 1/2カップ
卵 … １個
牛乳 … 大さじ３
塩・コショウ … 各少々

サラダ油 … 小さじ１

〈付け合わせ〉
シイタケ … ２個
長ネギ … 1/2本
パプリカ … 1/4個
オリーブオイル … 小さじ２
塩・コショウ … 各少々

〈ソース〉
トマトケチャップ … 大さじ２
中濃ソース … 大さじ２
しょうゆ … 小さじ１

作り方

1. 付け合わせ用の野菜を切っておく。シイタケは５㎜幅、長ネギは斜め薄切り、パプリカは短冊に切る。
2. ボウルに肉だねの材料を入れ、粘り気が出て一体感が出るまでよく混ぜる。混ざったら６等分にして薄い円盤状に形作る。
3. フライパンにサラダ油を中火で熱し、ハンバーグを並べる。片面に焦げ目がついたら裏返し、ふたをして弱火にし、中央がふっくらするまで３分ほど焼く。
4. フライパンの油をふき取り、オリーブオイルと１の野菜を入れて中火にかけ、しんなりするまで炒めて塩・コショウで調味する。
5. 器にハンバーグと付け合わせを盛り、ソースの材料を混ぜてかける。

コツ!!

全体に
一体感が出るまで
しっかり混ぜる。

手のひらに
のるくらいの
小さな薄い
円盤状に。

真ん中が
ふくらんだら、
中まで火が通った
合図。

定番おかず

ロールキャベツは 鍋にすき間なく みっしり並べる。

やさしい味のロールキャベツは、心も体も
ほっこりあたたまる、うれしいごちそう。
中身の肉だねはハンバーグと同じ。
手間は少しだけかかりますが、
失敗がほとんどない、じつは簡単なお料理です。
コツがあるとすれば鍋の中に
ロールキャベツをみっしり並べること。
そうすれば煮ている間も動かないので、
楊枝などで巻き終わりを止める必要が
ありません。ぴったりの鍋がなかったら、
すき間には余ったキャベツを詰めましょう。
翌日は、トマトの水煮やクリームシチューの
素を加えて、味を変えても楽しめます。

ロールキャベツ

79 kcal（1個分）

材料［10個分］

キャベツの葉 … 10枚＋ α

〈肉だね〉
合いびき肉 … 200g
タマネギみじん切り… 1/2個分（100g）
パン粉（乾燥したもの）… 1/2カップ
卵 … 1個
牛乳 … 50cc
塩・コショウ … 各少々

〈煮汁〉
水 … 400cc
固形コンソメスープの素 … 1個
塩 … 小さじ1/2

黒コショウ（好みで）… 少々

作り方

1. キャベツは芯のそばのところに包丁を入れ、そこから1枚ずつはがす。芯の近くの葉脈の厚いところは包丁でそぎ落とす。

2. 塩少々（分量外）を加えた熱湯で、キャベツがしんなりするまでゆで、ざるなどにのせて冷ます。

3. 肉だねの材料を20ページのハンバーグと同様によく混ぜて10等分し、キャベツで包む。10個がぴったりおさまるくらいの鍋に、巻き終わりを下にして並べる。

4. そぎ落した葉脈、煮汁の材料を加えて中火で煮立て、落としぶたをして弱火で15分煮る。器に盛り、好みで黒コショウを振っていただく。

コツ!!

芯の近くは
葉脈が厚く
巻きづらいので、
そぎ落として
薄くする。

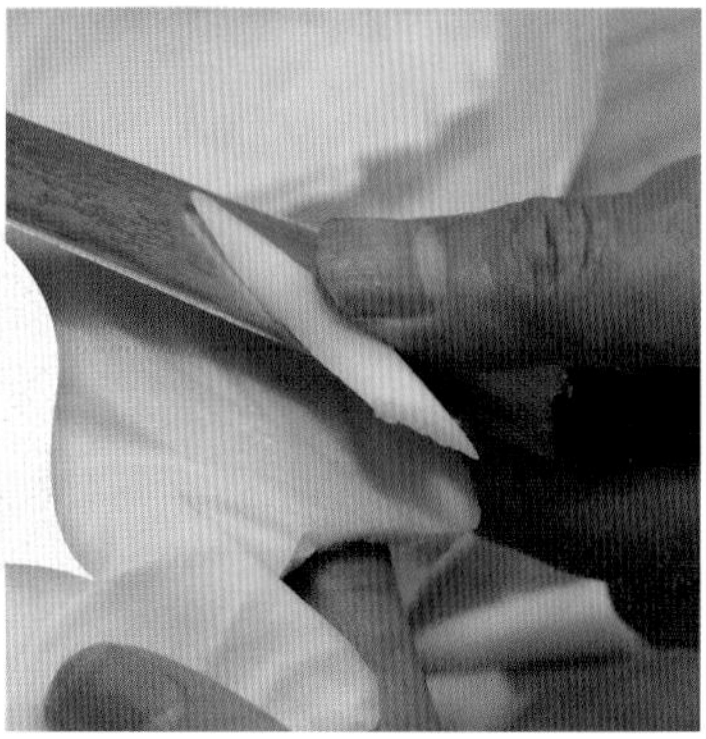

キャベツが
やぶけてしまっても、
重ねて巻けば大丈夫。
小さな葉は
2枚使って。

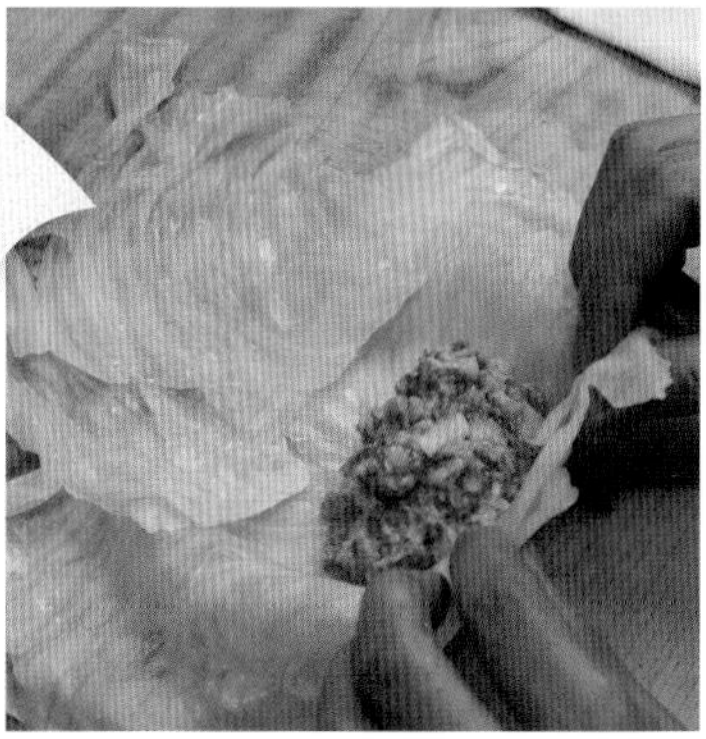

鍋の中が
ぎゅうぎゅうに
なるように、
すき間には余った
キャベツを。

キャベツは1日常温に置いてはがしやすく

ロールキャベツを作るときには、キャベツを前日に冷蔵庫から出しておきましょう。ラップで包んだり袋に入れないで。1日常温で置いておくと、葉がしんなりしてはがしやすくなります。はがすときは芯のほうから。

定番おかず

鶏から揚げは下味に卵を使って、しっとりやわらか。

外はカリッと、中はジューシー。
これがおいしいから揚げ。
下味をつけるときに卵を使えば、
卵が鶏肉をコーティングしてくれるので、
揚げている間に水分が抜けず、
しっとりやわらかく仕上がります。
冷めても固くならず、お弁当にもバッチリ。
少し低めの１７０℃の油で揚げれば、
周りが色づくころには中にもしっかり火が通ります。
浮き上がってきたら、揚げあがりの合図。
しょうゆと卵の下味が基本ですが、
好みでショウガやニンニクを加えても。

鶏から揚げ

509 kcal

材料［3～4人分］

鶏もも肉 … 2枚
卵 … 1個
しょうゆ … 大さじ1

グリーンアスパラ … 1束（4～5本）

小麦粉、揚げ油 … 各適量
レモン … 適量

作り方

1. 鶏肉は4㎝角くらいに切ってボウルに入れ、卵・しょうゆを加えてよくもみ込み、10分以上おく。グリーンアスパラは根元の固いところを切り落とし、5㎝長さに切る。

2. 揚げ油を熱し、170℃くらいになったらグリーンアスパラを入れ、1分ほどさっと素揚げして取り出す。

3. 1の鶏肉に小麦粉をまぶし、2の油で揚げる。浮き上がって、きつね色になったら取り出してグリーンアスパラと器に盛る。レモンをたっぷり絞っていただく。

コツ!!

全体に下味がいきわたるようにもみ込んで。

片手で下味から取り出し、もう一方の手で粉をまぶすと両手がベタベタにならない。

これくらいの泡が立つのが170℃。から揚げは一度にたくさん入れても大丈夫。

定番おかず

野菜の肉巻きは 巻き終わりから焼く。

野菜の肉巻きは少しのお肉でもボリューム
たっぷりのおかずになる、便利なメニュー。
食べやすく見た目も華やかなので、
お弁当にも重宝します。
焼くときはお肉の巻き終わりのところから。
フライパンが熱くなって、入れたときに
ジューッと音がするようになってから
焼き始めれば、しっかりくっつきます。
中に巻く野菜はトマトやエノキダケなど、
火が通りやすい野菜や生でも食べられる
野菜を選びましょう。アスパラは、
細く切って巻けばすぐに火が通ります。
不安なら、調味料を入れてから蒸し焼きに。

野菜の肉巻き

251 kcal

コツ!!

肉の幅が狭いときは
2枚並べて
巻いてもOK。

材料［2人分］

豚薄切り肉 … 8枚
大葉 … 8枚
プチトマト … 4個
グリーンアスパラ … 2本
エノキダケ … 1/2株
シシトウ … 4本

サラダ油 … 少々
みりん … 小さじ2
しょうゆ … 小さじ2

作り方

1. プチトマトはヘタをとる。グリーンアスパラは半分に切り、縦に細く切る。エノキは下の部分を落とし、ほぐしておく。

2. 豚肉8枚を広げ、それぞれ大葉をのせ、豚肉1枚につきプチトマトは2個ずつ、グリーンアスパラは半量ずつ、エノキも半量、シシトウは2本ずつのせて巻く。

3. フライパンにサラダ油を中火で熱し、巻き終わりを下にして並べる。焼き色が付いたら、焼けていない部分を下にするようにして返し、全体に焼き色が付くまで焼く。

フライパンを
しっかり熱してから、
巻き終わりを
下にして並べて。

4. みりん、しょうゆを加え、全体を転がしてからめる。

酢豚は材料を少なく薄切り肉で。

酢豚は好きだけど、家で作るのはめんどう、
そう思っていませんか?
確かにお店で食べる酢豚のようなたくさんの
具材をそろえて、材料を一度揚げてから
タレとからめるのはハードルが高いですよね。
お家で酢豚を作るなら、思い切って
野菜を1種類にしてしまいましょう。
厚い肉は火が通るのに時間がかかるので、
豚肉も薄切りで。肉と野菜を揚げたら、
あとは甘酢とからめるだけ。豚肉を鶏肉に
変えて酢鶏にしてもおいしくいただけます。
黒酢を使うとまろやかな味わいになりますが、
苦手な場合は普通のお酢でも。

黒酢酢豚
470 kcal

材料［２人分］

豚薄切り肉（ショウガ焼き用）… 120g
長イモ … 10㎝
万能ネギの小口切り（好みで）… 少々

しょうゆ … 小さじ２
小麦粉 … 適量
揚げ油 … 適量

〈甘酢〉
黒酢 … 大さじ６
砂糖 … 大さじ６
しょうゆ … 大さじ２
片栗粉 … 小さじ２
水 … 大さじ６

作り方

1. 豚肉は３㎝幅に切り、しょうゆをまぶしてから、小麦粉をまぶす。長イモは２㎝幅の短冊切りにし、小麦粉をまぶす。

2. 揚げ油を170℃に熱し、長イモがきつね色になるまで揚げて取り出す。豚肉も揚げ、きつね色になったら取り出す。

3. フライパンに甘酢の材料を入れ、中火で１分ほど透き通るまで混ぜながら煮る。揚げた長イモと豚肉を入れて混ぜ、全体に甘酢をからめる。

4. 器に盛り、好みで万能ネギの小口切りをのせる。

コツ!!

ポリ袋に小麦粉と
具材を入れ、
空気を入れて振ると
まんべんなく
粉がつく。

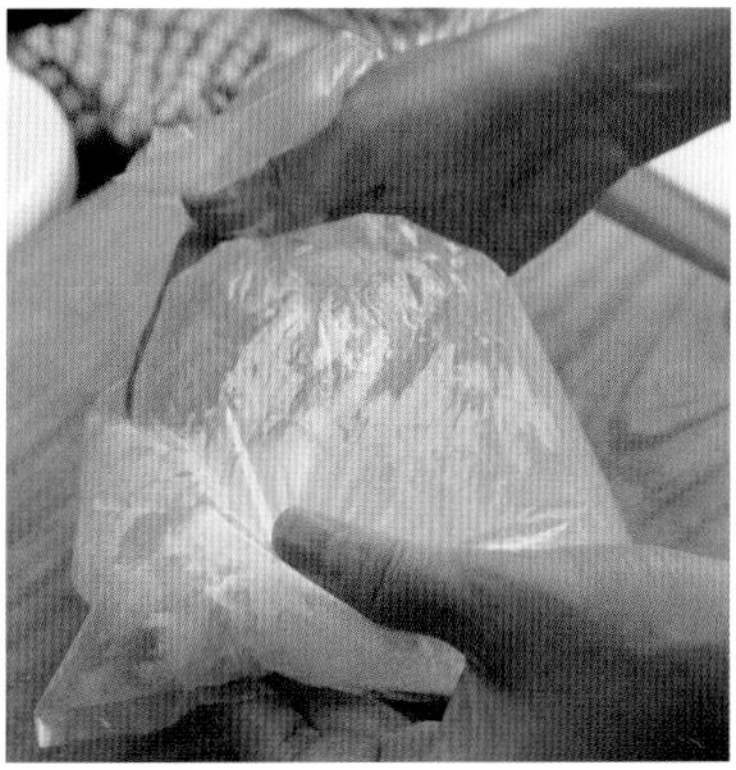

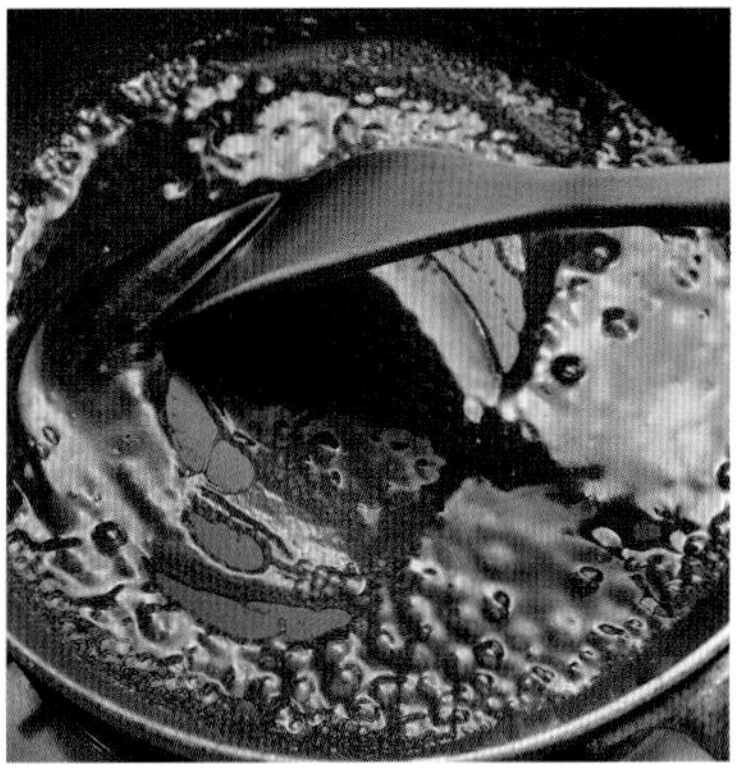

甘酢は透き通って
とろみがつくまで
煮てから具材を
からめる。

定理おかず

チキンソテーは鍋ぶたで押さえて皮をカリッと仕上げる。

チキンソテーの醍醐味は、カリッとした皮のおいしさ。

皮をカリッと焼き上げるには、少しだけコツがいります。

それは、フライパンと鶏肉の間にすき間ができないように、ぎゅーっと押し付けながら焼くこと。

鍋ぶたを使って1分ほど押し付けると、フライパンと鶏肉が密着し、皮から脂が抜けてカリカリに仕上がります。

火の通り加減にムラができないように、肉が厚いところは観音開きに包丁を入れ、全体の厚さを均一に整えましょう。

今回はジャーマンポテトにしましたが、付け合わせはお好みで。

チキンソテー

602 kcal

コツ!!

観音開きは、
厚みのある部分に
包丁を入れ、
左右に開く。

材料［２人分］

鶏もも肉 … ２枚
塩・コショウ … 各少々

〈付け合わせ〉
ジャガイモ … 1個
タマネギ … 1/4個
ニンニク … 1/2片
ベーコン … １枚
塩・コショウ … 各少々
粒マスタード … 小さじ１

パセリ（あれば） … 少々

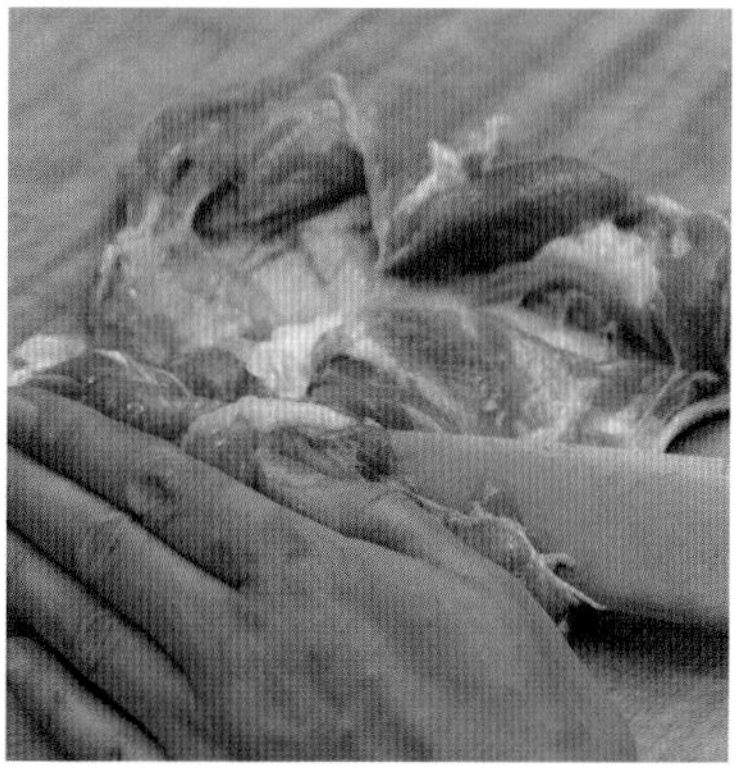

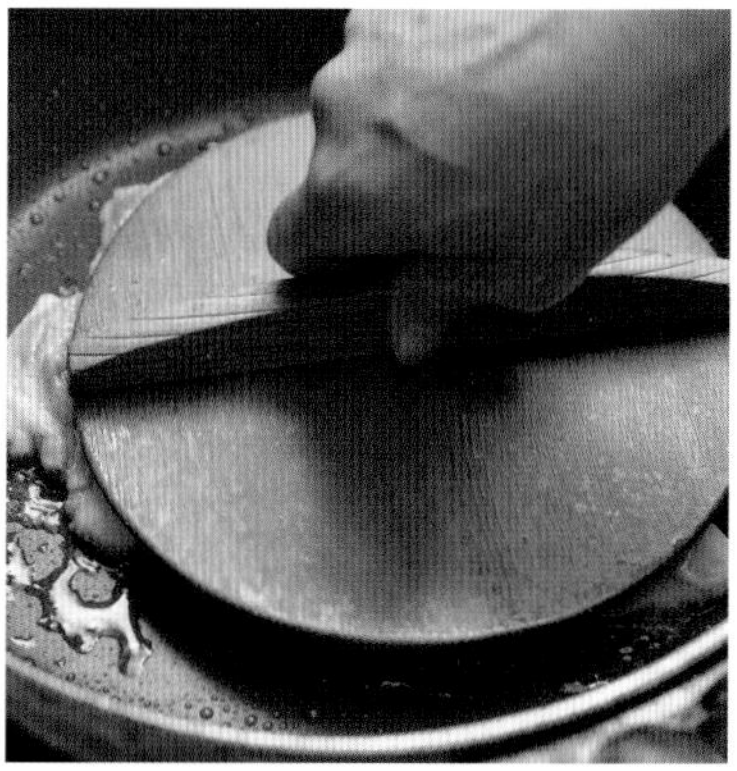

フライパンから
浮いている部分が
ないように、
ぎゅーっと鍋ぶたで
押しつけて。

作り方

1. 鶏肉は厚みのある部分を観音開きにして全体に厚さを均一にし、両面に塩、コショウを振る。

2. ジャガイモは洗って濡れたままラップに包み、レンジ強（500w）で4分加熱し、皮をむき一口大に切る。タマネギ、ニンニクは薄切り、ベーコンは短冊切りにする。

3. フライパンを中火で熱し、皮面を下にして鶏肉を入れ、２分焼く。焼き色が付いてきたら１分ほど肉を鍋ぶたで強くフライパンに押しつけ、全体に焼き色が付くように焼く。裏返しにしてさらに２分ほど焼き、中まで火が通ったら取り出す。

4. ３のフライパンに、脂が多い場合は紙タオルで軽くふき取り、ニンニク、ベーコン、タマネギを入れる。タマネギがしんなりするまで炒めたら、ジャガイモを加え、塩、コショウ、粒マスタードで調味する。

5. 器にチキンソテーと付け合わせを盛り付ける。あればパセリを飾る。

定番おかず

ショウガ焼きは肉が汗をかき始めたら裏返す。

今日はがっつり食べたい、というときには、ご飯がすすむショウガ焼きを。

ショウガ焼きをやわらかく仕上げるには焼き過ぎないこと。片面を焼いて肉汁が浮き上がってきたら、裏返すタイミングです。

つまり、ショウガ焼きの極意は「肉が汗をかいたら裏返せ」。

今回は関西風の甘めの味付けにしましたが、関東風のきりっとした味がお好みなら、しょうゆとショウガだけで。

タレの味がからんだキャベツもいっしょに豪快にほおばるのがおススメ。

豚のショウガ焼き

311 kcal

材料［2人分］

豚肉（ショウガ焼き用）… 6枚
キャベツ … 2枚
大葉 … 4枚
ショウガすりおろし
… 小さじ2

サラダ油 … 小さじ1
しょうゆ … 大さじ1.5
みりん … 大さじ1.5

マヨネーズ、七味唐辛子
（好みで）… 各適量

作り方

1. 肉は広げて筋を切る。キャベツ、大葉はせん切りにする。
2. フライパンにサラダ油を中火で熱し、肉を並べてショウガのすりおろしを全体にかける。
3. 表面に肉汁が浮き出てきたら裏返し、両面に焦げ目がついたら、しょうゆ、みりんを入れて煮立て、肉とからめる。
4. キャベツと大葉のせん切りを混ぜて器に盛り、豚肉をのせて、フライパンに残った焼き汁をかける。好みでマヨネーズ、七味唐辛子を添える。

コツ!!

脂身と赤身の
間にある筋を
切ると縮まらない。
脂身ごと切って
大丈夫。

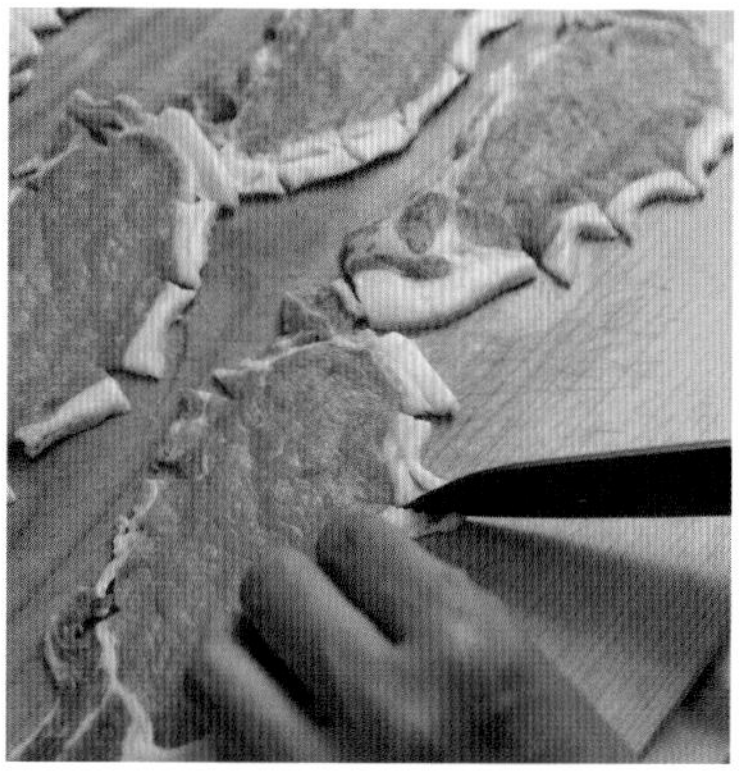

ショウガは
フライパンの上で
すりおろしても
OK。

肉が汗を
かいてきたら
（肉汁が浮き出てきたら）
裏返すサイン。

定番おかず

しゃぶしゃぶはグラグラ煮立たせない。

しゃぶしゃぶ鍋の真ん中が煙突状に
なっている理由、なぜだか知ってますか？
それは熱を逃がして湯を煮立たせないため。
しゃぶしゃぶは湯がグラグラ
煮立っていると、
肉がかたくなってしまいます。
だから家でしゃぶしゃぶをするときも、
湯が煮立たないように火加減に注意し、
肉をやさしくくぐらせましょう。
湯には必ずだしになるものを入れて。
今回は顆粒鶏スープの素を使っていますが、
かつおだしや昆布でもかまいません。
湯にくぐらせることで肉から逃げてしまう
旨みを、だしで補ってあげましょう。

しゃぶしゃぶ

548 kcal

材料［2人分］

牛薄切り肉（しゃぶしゃぶ用）
… 200g
レタス … 4枚
水菜 … 2株

顆粒鶏スープの素 … 小さじ1
水 … 1ℓ

〈ごまダレ〉
白すりごま … 大さじ3
マヨネーズ … 大さじ2
ポン酢 … 大さじ2

コツ!!

冷しゃぶにする場合は氷水にとると、野菜もしゃっきり。

作り方

1. レタスは縦4等分くらいに手で裂く。水菜は根元を切り落とし、6㎝くらいのざく切りにする。タレの材料を混ぜておく。

2. 鍋に水と顆粒鶏スープの素を入れて煮立てる。割合は水1ℓに対して、顆粒鶏スープの素が小さじ1程度。

3. グラグラ煮立たないように火加減を注意し、具を入れて好みの煮え加減で取り出し、タレでいただく。

定番おかず

プルコギはタレをもみ込んで、肉をやわらかくする。

家で食べる焼肉って、
焼肉屋さんにくらべてイマイチ、
って思うことありませんか?
私は家で食べるなら、肉と野菜をタレに
漬け込んでいっしょに炒める、
韓国のプルコギ風の焼肉をおススメします。
コツは肉によーくタレをもみ込むこと。
手を使ってもみ込むと、安いお肉でも
やわらかく、おいしくなるから不思議。
野菜がしんなりするまで
しっかりもみ込みましょう。
ここでは家で作れる本格タレを紹介して
いますが、市販の焼肉のたれを使っても。

プルコギ

592 kcal

材料［２人分］

牛薄切り肉 … 200g
ニラ … 1/2束
シイタケ … ２個
長ネギ … １本

〈タレ〉（市販の焼肉のタレでもOK）
梨すりおろし … 大さじ２
ニンニクすりおろし … １片分
ショウガすりおろし … 小さじ１
しょうゆ … 大さじ2.5
砂糖 … 大さじ１

ゴマ油 … 大さじ１
コショウ … 少々
白ゴマ … 少々
コチュジャン（好みで） … 適量

作り方

1. 牛肉は短冊切り、ニラは４㎝くらいのざく切りにする。シイタケは石づきをとって薄切りに、長ネギは斜め薄切りにする。
2. すべての材料が入る大きさのボウルにタレの材料を合わせ、１を入れて全体をよく混ぜ、野菜が少ししんなりするまで手でもむ。
3. フライパンにゴマ油を中火で熱し、十分にあたたまったら２を入れて強火で炒める。
4. 器に盛り、コショウと白ゴマを振り、好みでコチュジャンを添える。

コツ!!

梨を
加えることで、
本格ダレが簡単に。

タレが
全体になじむまで、
よくもみ込んで。

梨を使った本格ダレを作ろう！

このプルコギのタレは、お家で簡単に作れるのに、本場、韓国の味。秘密は果物の梨。梨の甘さと酸味がタレを本格的な味わいにしてくれます。梨が出回っている時期にたくさん作って保存しておきましょう。冷蔵庫で１年くらい保存できます。

メンチカツは どっさりタマネギと 天ぷら粉でジューシーに。

揚げ物は揚げたてが一番。
お肉屋さんで買うのもいいけれど、
お家で揚げたてを食べるのはまた格別です。
私のメンチはタマネギたっぷり。
2種類の大きさのみじん切りにして、
食感も楽しみます。あっさりした味わいで、
いくつでも食べられちゃうんですよ。
コツはハンバーグ同様、小さく作ること。
そうすれば扱いやすいし、
火の通りをあまり心配しなくて大丈夫。
もう一つのコツは衣に使う天ぷら粉。
この衣が肉だねをしっかりコーティング
して、肉汁を外に逃がしません。

メンチカツ

564 kcal

材料［２〜３人分］

〈肉だね〉
合いびき肉 … 200g
タマネギ … １個(200g)
乾燥パン粉 … 1/2カップ
卵 … １個
牛乳 … 大さじ２
塩・コショウ … 各少々

天ぷら粉 … 1/2カップ
水 … 100cc
乾燥パン粉 … 適量

揚げ油 … 適量
キャベツせん切り … 適量
トマト … 適量
ソース … 適量

作り方

1. タマネギは半量を普通のみじん切り、半量を粗めのみじん切りにする。

2. ボウルに肉だねの材料を入れてよく混ぜ、６等分にして薄い円盤状にする。

3. 天ぷら粉と水を混ぜ合わせ、２の肉だねをくぐらせて、パン粉をまぶす。

4. 油を170℃に熱し、３を浮き上がるまで揚げる。キャベツ、くし形に切ったトマトと器に盛り、ソースをかけていただく。

コツ!!

肉になじむ
細かいみじん切りと、
食感を楽しむ
粗めのみじん切り。

お肉に対して
これくらい
タマネギを
どっさり。

天ぷら粉と
水を合わせた衣で、
しっかり
コーティング。

肉や魚介のフライには天ぷら粉を使って

肉や魚介のフライには、小麦粉＋卵の代わりに、天ぷら粉と水を合わせた衣を使うのがおススメ。中身をしっかりとコーティングして肉汁や魚の水分を逃しません。中はジューシー、外はカリッと仕上がります。

エビフライは竹串を刺してまっすぐに。

エビフライは見た目が大事。
くるんと丸まったエビフライよりも、
まっすぐ立派なエビフライのほうが、
断然おいしく見えます。
コツはカンタン。竹串を刺して、
エビをまっすぐにしてしまいましょう。
竹串が刺してあると、持ちやすくなり、
衣付けや油に入れるときもラクチンです。
エビフライもメンチカツ同様、
天ぷら粉を水で溶いた衣を使って、
水分を閉じ込めます。
エビは尾の先を切って水を出しておけば、
油ハネもしません。

エビフライ

409 kcal

材料［2人分］

エビ（ブラックタイガーなど大きめのもの）
… 6尾
塩・コショウ … 各少々

天ぷら粉 … 1/2カップ
水 … 100cc
乾燥パン粉 … 適量

揚げ油 … 適量

タマネギみじん切り … 1/4個分
マヨネーズ … 1/2カップ
水菜ざく切り … 適量
ソース、レモン、黒コショウ（好みで）… 各適量

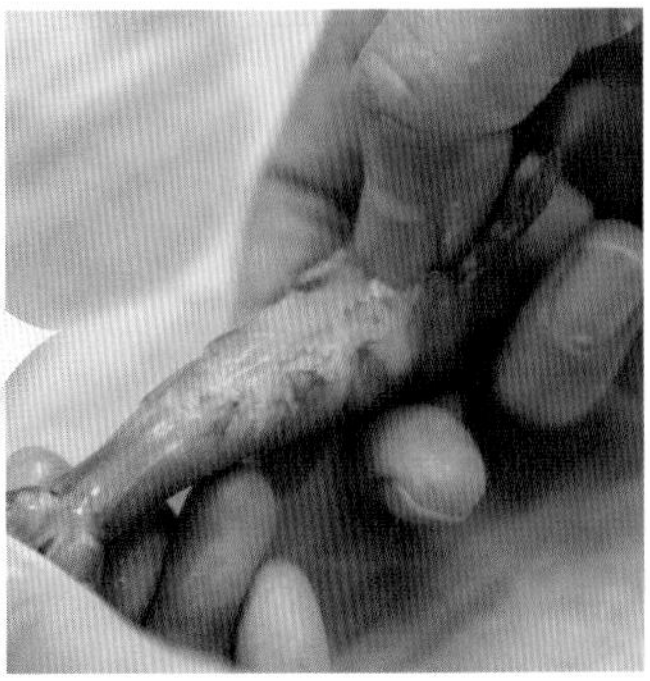
コツ!!
エビの殻は、最初に足を外してしまうとむきやすい。

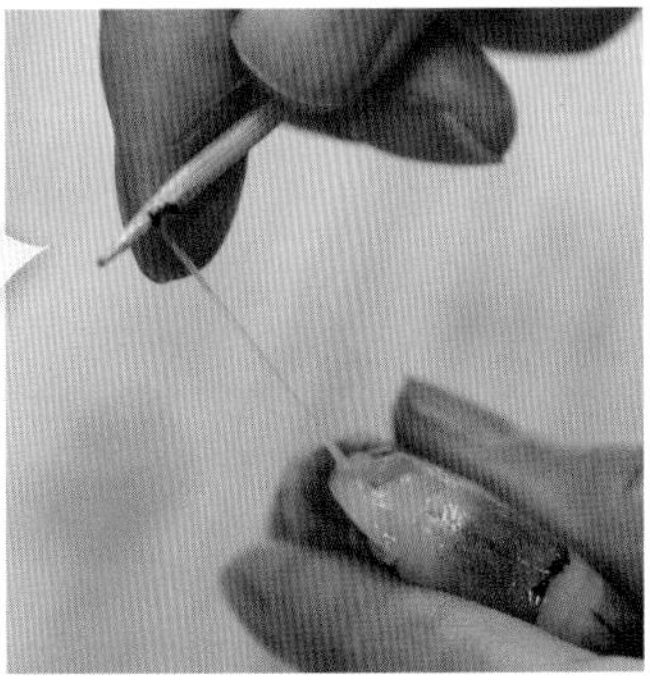
楊枝を刺して背ワタを引っぱり出す。

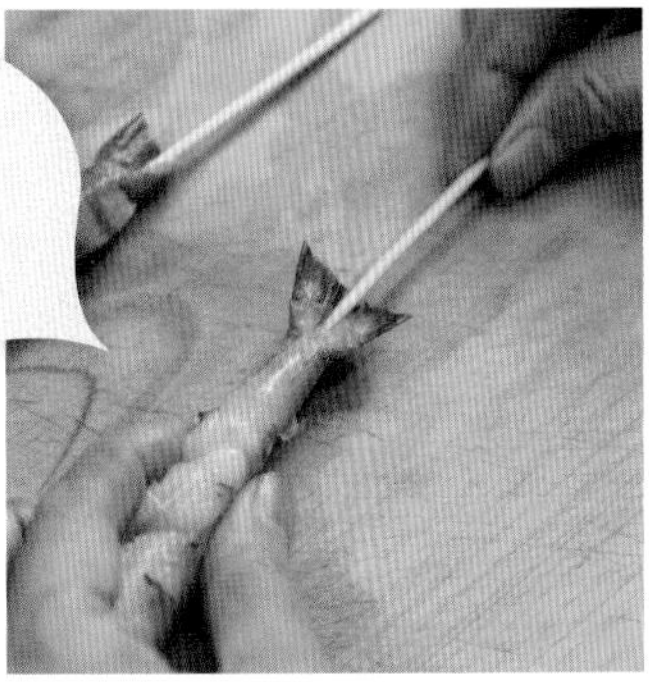
尾のほうから竹串を刺してまっすぐに。

作り方

1. タマネギみじん切りとマヨネーズを混ぜ、タマネギマヨネーズを作っておく。

2. エビは尾から1関節を残して殻をむき、背ワタをとる。尾の先を切り、水を出す。腹側に斜めに数カ所切れ日を入れ、尾のほうから竹串を刺してまっすぐにする。

3. エビに塩・コショウを振って天ぷら粉と水を混ぜた衣にくぐらせ、パン粉をまぶす。

4. 揚げ油を180℃に熱し、きつね色になるまで揚げる。

5. エビフライの竹串を抜いて水菜と器に盛り、タマネギマヨネーズ、レモン、ソースなどでいただく。タマネギマヨネーズに黒コショウを振ってもおいしい。

作っておくととっても便利。
タマネギマヨネーズ

タマネギとマヨネーズを合わせただけのタマネギマヨネーズ。タルタルソースよりもさっぱりしていて、魚介のフライによく合います。ツナを入れればツナマヨに、ジャガイモをレンジでチンして混ぜれば、ポテトサラダにも。保存期間は冷蔵庫で1カ月くらい。

天ぷらは衣に卵黄だけ使えば失敗しない。

天ぷらを失敗しないコツは、衣に卵黄だけを使うこと。全卵を使うと白身が水分を吸って、ベタッとしてしまうことも。

衣の混ぜ具合でも食感が変わります。
あまり混ぜずに揚げると
サクッとした口当たり。
よく混ぜるとカリッとした口当たりに。
お家で揚げるなら失敗の少ない、
「よく混ぜカリッと衣」がおススメ。

野菜は低温で揚げて水分を飛ばし、
魚介は高温で揚げて水分を閉じ込めます。
かき揚げは粉を足してかための衣にすれば、
油の中でバラバラになりません。

天ぷら　644 kcal

材料［2人分］

エビ … 4尾
シイタケ … 1個
ナス … 1本
カボチャ … 1㎝
レンコン … 2㎝
タマネギ … 1/4個
サクラエビ … 大さじ3

〈天ぷら衣〉
小麦粉 … 1カップ
冷水 … 150cc
卵黄 … 1個
塩 … 少々

揚げ油 … 適量
塩・天つゆ・大根おろし … 各適量

作り方

❶ エビは尾から1関節を残して殻をむき、背ワタをとる。尾の先を切り、水を出す。腹側に斜めに数カ所切れ目を入れ、尾のほうから竹串を刺してまっすぐにする(41ページ参照)。

❷ シイタケは石づきをとり半分に切る。ナスはへたをとり縦四つ割りにして長さを半分に切る。カボチャは一口大、レンコンは皮をむいて1㎝幅の半月切りにする。タマネギは5㎜幅のくし形に切る。

❸ ボウルに天ぷら衣の材料を入れてよく混ぜる。

❹ 揚げ油を160℃に熱し、タマネギ以外の野菜を衣にくぐらせて入れる。一度に入れるのはそれぞれがくっつかないくらいの分量で。菜箸で叩いてカリッとした感じになるまで揚げ、取り出す。野菜を揚げ終えたら油の温度を180℃まで上げ、エビを衣にくぐらせて揚げる。揚がったら竹串を抜く。

❺ 天ぷら衣にタマネギとサクラエビを入れて混ぜ、全体がくっつくくらいのかたさになるように小麦粉(分量外)を足す。油の温度を160℃に下げてスプーンですくって入れ、カリッとするまで揚げる。

❻ 器に盛り、塩や天つゆ、大根おろしでいただく。

コツ!!

衣は粉っぽさがなくなるまで、泡だて器を使ってよく混ぜる。

かき揚げは全体がくっついてまとまる感じになるように小麦粉を足す。

かき揚げは、たねをスプーンですくい、もう1本のスプーンで油の中に落とす。

台所道具のはなし❶
鍋

直径18㎝、22㎝、24㎝の両手鍋。炒めてから煮たり、長時間煮るには厚手のものが使いやすい。

両手鍋はサイズ違いで3種類あると便利です

鍋に限って言えば、大は小を兼ねません。作る料理、素材やその量に合った大きさの鍋を使うことが、料理をおいしく作るコツ。だからと言って、そんなにたくさんの鍋が必要なわけではありません。私は直径18㎝、22㎝、24㎝の3種類の大きさの両手鍋でたいがいのことをまかなっています。18㎝の鍋はおもに煮物などに、22㎝の鍋は青菜やジャガイモをゆでたり、24㎝の鍋はゆで汁がたくさん必要な、パスタやうどん、そうめんなどをゆでるのに使っています。

深めのフライパンを一つ、揚げ物専用に

揚げ物が面倒になる理由の一つは、揚げた後の油の処理。私は深めのフライパンを揚げ物専用に

深めのフライパンか、小さめの中華鍋を揚げ物専用に。油を入れたまま、ふたをして置いておくと便利。

卵をゆでたり、少ない分量の煮物に重宝する小さな片手鍋。名前通り片手で扱えるのもよいところ。

して、油を入れたまま、揚げ物を3〜4回したら捨てています。最初は油が汚れにくい素揚げ→天ぷら→フライ→もっとも汚れるから揚げの順番で揚げると効率よく油を使いきれます。油は熱くなると膨張します。揚げる具材が入ることも考えて油の量はフライパンの半分くらいまでに抑えて。

直径15㎝くらいの片手鍋も重宝します

両手鍋以外にもう一つ、直径15㎝くらいの小さな片手鍋があると、いろいろ使えて重宝します。卵をゆでたり、ミルクをあたためたり、普段のみそ汁作りにもちょうどいい大きさ。煮物も少量ならこれで。煮魚などは、煮汁が多いと沸騰するまでに時間がかかり、調味料をムダに使ってしまうので、魚がぴったり入る、これくらい小さな鍋で煮るのがいいですよ。

サンマの塩焼きは目が白くなるまで焼く。

旬のサンマは、安くておいしい秋のごちそう。
サンマを買うときは口の先が黄色い、
新鮮なものを選びましょう。
サンマをおいしく焼くコツは二つだけ。
全体的にしっかり塩をまぶすこと。
目が白くなるまで焼くこと。
塩をしっかりすると焦げ過ぎるのを防いで、
ほどよい焼き具合に。
焦げるととれて落ちやすい、尾の部分も忘れずに。
目が白くなるまで焼けば、中が生焼け、
なんていうことはありません。
たっぷりの大根おろしを添えて、スダチか
レモンをぎゅっ。さあ召し上がれ。

サンマの塩焼き
308 kcal

材料［２人分］

サンマ … 2尾
塩 … 適量

大根おろし … 1カップ
スダチまたはレモン … 適量
しょうゆ … 少々

作り方

1. サンマは全体に塩をまぶす。
2. グリルを十分に熱し、サンマの目玉が白くなって全体に焦げ目が付くまで焼く。
3. 器に盛って大根おろし、スダチかレモンを添え、大根おろしにしょうゆをかける。

コツ!!

焦げやすい
尾の部分まで、
塩をしっかりと
まぶす。

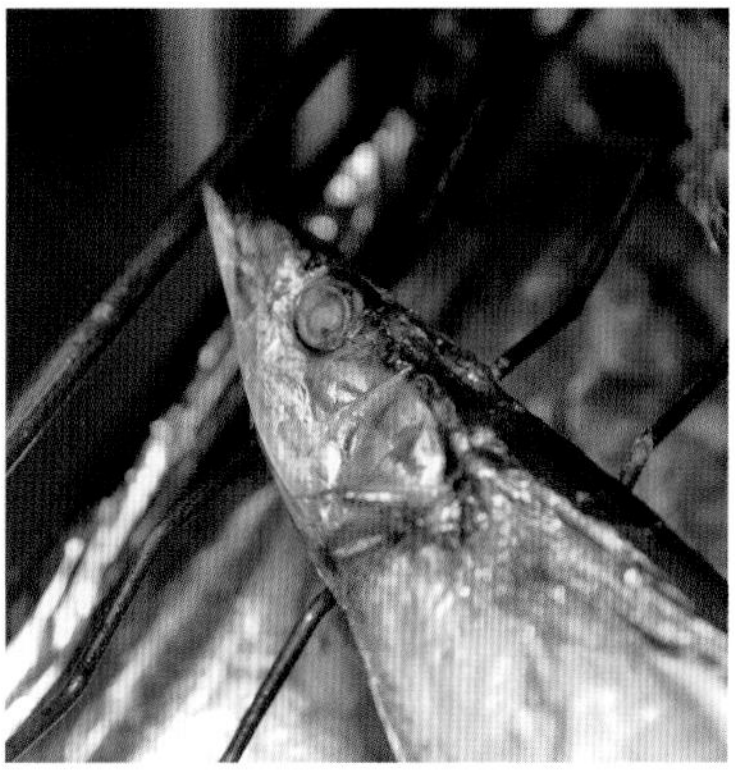

目が白くなれば、
焼きあがりの
サイン。

ブリの照り焼きはしつこく何度もタレを塗る。

ブリの照り焼きをおいしくするのは、漬け時間ではなく、タレを塗る回数。塗り重ねると、どんどん照りが出ておいしくなります。

塗る回数は最低5回。

できれば7～8回は塗ってほしいもの。めんどくさい、と思うかもしれませんが、塗れば塗るほどおいしくなるので、ぜひ一度やってみて。

手間をかけた甲斐があるときっと思うはず。

タレを塗るのは片面だけで大丈夫。片面焼きのグリルなら、片面を焼いてひっくり返してからタレを塗りましょう。

ブリの照り焼き

285 kcal

材料［２人分］

ブリ切り身 … ２切れ
シシトウ … ６本

しょうゆ … 大さじ１
みりん … 大さじ１

紅ショウガ … 適量

作り方

1. ボウルにしょうゆとみりんを混ぜ、ブリを漬けて15分ほどおく。
2. 十分に熱したグリルにブリを入れ、身の色が白くなってきたらボウルに残ったタレをときどきハケで塗り（できれば７〜８回）、照りが出るまで焼く。
3. ブリを焼いている間に、すき間にシシトウを並べ、焦げ目が付くまで焼く。
4. ブリとシシトウを器に盛り、紅ショウガを添える。

コツ!!

表面が乾いてきたら
タレを塗る、
を繰り返す。

最低５回、
できれば
７〜８回は
タレを塗って。

定番おかず

煮魚は冷たい煮汁から魚を入れて煮る。

煮魚は、ポイントさえ押さえておけば、
ほとんど失敗することはありません。
ポイントは冷たい煮汁から煮て、
煮立ったら落としぶたをすること。
煮汁が沸騰するときに、酒のアルコール分と
いっしょに魚の臭みが抜けていきます。
だから煮立つまではふたをしないで。
煮立ったら落としぶたをして、
煮汁を全体にいきわたらせます。
ちょうどいい落としぶたがなければ、
アルミホイルでも大丈夫。
アルミホイルが浮き上がらないように、
数カ所穴を開けておきましょう。

金目鯛の煮付け

201 kcal

材料［2人分］

金目鯛切り身 … 2切れ
ショウガ薄切り … 2枚

〈煮汁〉
酒 … 100cc
水 … 100cc
しょうゆ … 大さじ2
砂糖 … 大さじ1

青菜の塩ゆで（あれば） … 適量

作り方

1. 魚2切れがちょうど入る大きさの鍋に、金目鯛切り身、ショウガ、煮汁の材料を入れる。
2. ふたをしないまま強火で煮立て、あくが出たらあくをとる。落としぶたをして、弱火で7～8分煮る。
3. 器に盛って煮汁をかけ、あれば青菜の塩ゆでを添える。

コツ!!

なるべく
ぴったりの大きさの
鍋を選んで。

落としぶたが
なければ
アルミホイルに
穴を開けて代用。

煮魚には
ぴったりサイズの鍋を

煮魚を煮るときは、魚がぴったりおさまる大きさの鍋を選びましょう。大き過ぎる鍋だと煮汁がたくさん必要になってしまい、沸騰するのに時間もかかって、もったいないです。

ブリ大根は ブリと大根を 一度ゆでてから煮る。

ブリ大根をおいしく作るには、ブリだけでなく、大根も一度下ゆでをすることが大事。大根をそのまま煮ると、えぐみや苦みが出て、残念な味になってしまいます。よく、大根の下ゆでには米のとぎ汁を使うとありますが、生の米でかまいません。ブリは表面が白くなったらすぐ取り出して。ゆで過ぎると旨みが抜けてしまうので注意。ブリは身の部分よりもあらに旨みがあるので、ブリ大根にはぜひあらを使いましょう。白い皮の部分には鱗があるので、洗うときによく落として。

ブリ大根

332 kcal

材料［2〜3人分］

ブリのあら … 300g
大根 … 1/2本(500g)
米 … 大さじ2
ショウガ薄切り … 6枚

しょうゆ … 大さじ4
みりん … 大さじ4

作り方

1. 鍋にたっぷりの湯を沸かし、ブリを入れて表面の色が変わるくらいまでゆで、冷水にとる。冷水の中で鱗や血を洗って落とす。

2. 大根は2㎝の厚さの半月に切り、鍋にたっぷりの水、米といっしょに入れて煮立てる。10分ゆでてざるにとり、流水でざっと洗う。

3. 鍋にゆでたブリ、大根、ショウガ薄切りを入れ、ひたひたになるくらい水を注ぐ。調味料を入れて中火で煮立て、あくをとり、煮汁が鍋底から2㎝くらいになるまで煮る。

コツ!!

ブリの下ゆでは、
表面が
白くなったら
取り出す。

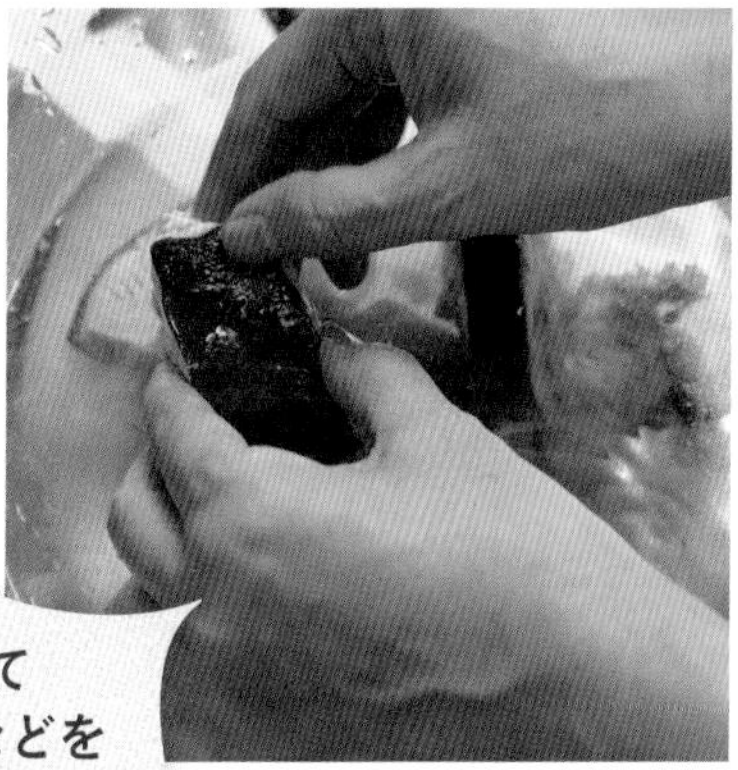

冷水にとって
汚れや血、鱗などを
ていねいに落として。

大根の下ゆでには生米を使っても

大根の下ゆで、料理の本ではよく「米のとぎ汁を使って」と書いてありますよね。でも都合よくとぎ汁がないことも。生米をいっしょに入れてゆでれば、とぎ汁を使ったときと同様、大根のえぐみや苦みをとってくれます。

カレーライスはタマネギを中火で焦がして、「おいしい鍋」を作る。

カレーをおいしくしてくれるのは、タマネギを炒めたときに鍋に付いた、茶色い焦げ。これこそが、カレーの旨みの素になるんです。だからタマネギを炒めているときに作っているのは、「おいしいタマネギ」じゃなくて「おいしい鍋」。水を加えたら、鍋に付いたこの旨みの素をしっかりとこそげましょう。

おいしい鍋を作るには火加減が大事。最初は中火で、左ページの写真くらい色が付いたら少しだけ火を弱めて全体が茶色くなるまでじっくり炒めます。

カレーライス

875kcal

材料［2〜3人分］

豚薄切り肉 … 150g
タマネギ … 2個
ジャガイモ … 2個
ニンジン … 1本
トマト … 1個
ニンニクみじん切り … 1片分
ショウガみじん切り … 大さじ1

塩・コショウ … 各少々
サラダ油 … 大さじ2
カレー粉 … 小さじ2
水 … 800cc
カレールー … 3片
中濃ソース … 大さじ1
しょうゆ … 小さじ2

ご飯・福神漬け … 各適量

コツ!!

鍋底に付いた
茶色い焦げが旨みの素。
水を加えたら、
この焦げをしっかりと
へらでこそげて。

作り方

1. 豚肉は3㎝幅くらいに切って、塩・コショウをまぶす。タマネギは1個半を薄切り、残りをざく切りにする。ジャガイモは皮をむいて大きめの一口大、ニンジンは皮をむいて乱切りにする。トマトはヘタをとり、ざく切りにする。

2. 鍋にサラダ油、薄切りタマネギを入れて、中火で全体が茶色になるまで炒める。

3. タマネギが茶色くなったら、ニンニク、ショウガ、カレー粉、豚肉を入れて炒め合わせる。

4. 水、残りのタマネギ、ジャガイモ、ニンジン、トマトを入れ、具がやわらかくなるまで20分くらい煮る。カレールー、中濃ソース、しょうゆを入れ、とろみがつくまで煮る。

5. ご飯とカレーを器に盛り、福神漬けを添える。

定番おかず

麻婆豆腐は豆腐を下ゆですれば、中はとろとろ、周りはしっかり。

麻婆豆腐、豆腐が崩れてしまったり、
溶けてしまったり、という経験ありませんか？
麻婆豆腐を作るときは、
豆腐を下ゆでしておきましょう。
一度ゆでると、周りはしっかりして
崩れにくくなるのに、中はとろとろ。
麻婆豆腐のおいしさがワンランクアップします。
もう一つのコツはひき肉をしっかりと
炒めること。炒めている間に肉から
水分が出てきますが、この水分が蒸発して、
焼き色が付くまで炒めて。そうすると
肉の臭みが抜けておいしくなります。
豆板醤の量で辛さが決まるのでお好みで。

麻婆豆腐
249 kcal

材料［２〜３人分］

木綿豆腐 … １丁
豚ひき肉 … 100g
長ネギみじん切り … 1/2本分
ショウガみじん切り … 大さじ１
ニンニクみじん切り … 小さじ１
長ネギ青い部分みじん切り … 少々

サラダ油 … 小さじ２
豆板醤 … 小さじ１〜大さじ１（お好みで）
しょうゆ … 大さじ３弱
オイスターソース … 大さじ１
水 … 300cc

〈水溶き片栗粉〉
片栗粉 … 大さじ１弱
水 … 大さじ２

黒コショウ（好みで） … 少々

コツ!!

豆腐の下ゆでは、
一度、沸騰すれば
OK。

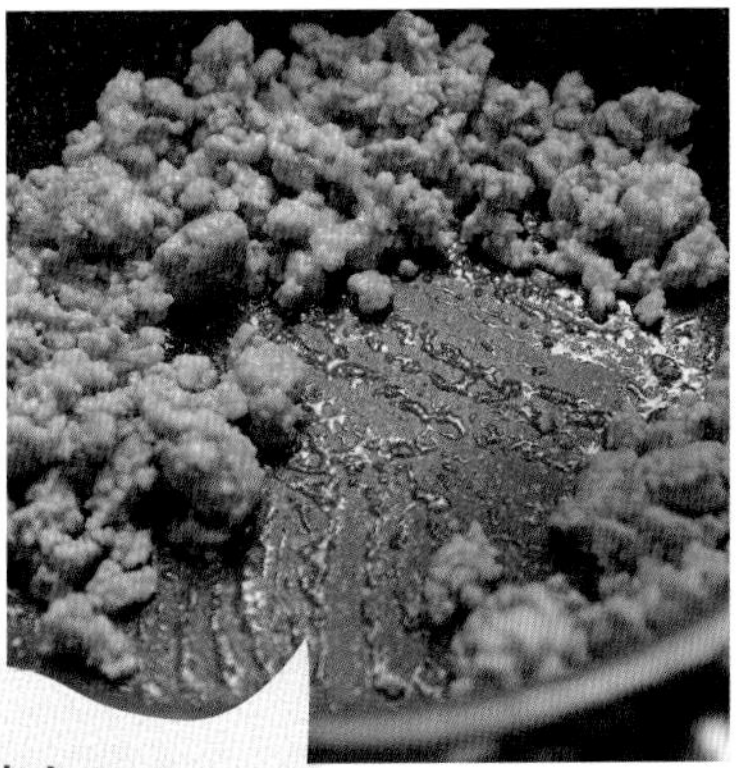

肉から出たこの
水分がなくなり、
焼き色が付くまで
しっかり炒める。

作り方

1. 豆腐は２㎝角に切って鍋に入れ、かぶるくらいの水を入れてゆで、ざるにとる。

2. 深めのフライパンか中華鍋にサラダ油を中火で熱し、豚ひき肉に焼き色が付くまで炒める。

3. 長ネギ、ショウガ、ニンニクを加えて炒め、香りが出たら豆板醤を入れて炒める。しょうゆ、オイスターソース、水を入れて煮立てる。

4. 豆腐を加えてひと混ぜし、煮立ったら水溶き片栗粉でとろみをつける。器に盛り、長ネギの青い部分のみじん切りを散らし、好みで黒コショウを振る。

定番おかず

炊き込みご飯は お米1合にしょうゆ大さじ1 がおいしい割合。

ごちそう感のある、炊き込みご飯。
難しいのはその味加減です。
炊く前に味見をしても、今一つ
できあがりの味のイメージがつかめません。
私が見つけた黄金バランスは、
米1合に対してしょうゆ大さじ1。
この割合で炊くと、しょっぱ過ぎず、
薄過ぎない、ちょうどいい味の炊き込みご飯になります。
具はお好みで、なんでもどうぞ。
ただ青菜などの葉物野菜はＮＧ。
お肉や油揚げなど、1種類は油気のある
具材を入れると旨みが出ておいしくなります。

炊き込みご飯

614 kcal

材料［2〜3人分］

米 … 2合
鶏もも肉 … 小さめ1枚(200g)
ゆでタケノコ … 1/2個(80g)
ニンジン … 3㎝(40g)
シイタケ … 2個
ショウガせん切り … 薄切り2枚分

しょうゆ … 大さじ2

作り方

1. 米はといで、普通に水加減をする。
2. 鶏もも肉は1.5㎝角、タケノコとニンジンは薄い短冊切り、シイタケは薄切りにする。
3. 1の米にしょうゆを加えて混ぜ、具を入れる。
4. 普通に炊いて15分蒸らし、全体を混ぜる。

コツ!!

ご飯の炊きあがりにムラができるので、炊く前は米と具材を混ぜないで。

水加減は「やわらかめ」で

ご飯を炊くとき、塩分が入ると米がかために炊きあがるので、炊飯器のスイッチは「やわらかめ」に設定をしましょう。スイッチがない場合は、内釜の水加減の目盛りを「やわらかめ」に合わせます。

定番おかず

チャーハンは ご飯をへらで押し付けて パラパラに仕上げる。

中華屋さんのような強い火力がなくても、
お家でパラパラチャーハンが作れます。
コツはへらの面の部分でご飯をフライパンに押し付け、
すくって返すを繰り返すこと。
へらを立ててかたまりをつぶすと、ご飯がつぶれて
べたっとしたできあがりに。
面の部分を使えばぎゅっと押し付けても、
ご飯がつぶれることはありません。
これを何度も繰り返すと、あら不思議、
だんだんとご飯がパラパラになってきます。
味付けはご飯が十分ほぐれてから。
あたたかいご飯のほうがすぐにほぐれますが、
冷たいご飯でも時間をかければ大丈夫。

チャーハン

554 kcal

材料［2人分］

チャーシュー … 4枚
卵 … 2個
長ネギみじん切り … 1/2本分
ご飯 … 茶碗に山盛り2杯

ゴマ油 … 大さじ2
しょうゆ … 大さじ1
コショウ … 少々
紅ショウガ … 適量

作り方

1. チャーシューは5㎜角に切る。
2. フライパンにゴマ油大さじ1を中火で熱し、割りほぐした卵を入れて大きくかき混ぜ、半熟になったら取り出す。
3. フライパンにゴマ油大さじ1を足して中火で熱し、チャーシュー、長ネギを入れ、しんなりするまで炒める。
4. ご飯を入れ、へらで押し付けてはすくって返す、を繰り返して、ご飯がほぐれるまで炒める。
5. 卵を戻し、しょうゆ、コショウで調味する。器に盛り、紅ショウガを添える。

コツ!!

へらの面の部分で
押し付け、すくって返す
を繰り返すと、
徐々にご飯が
ほぐれてくる。

ペペロンチーノは
パスタをゆでるとき
塩をケチらない。

パスタをゆでるときの塩、どれくらい
入れてますか？ ひとつまみ？ ふたつまみ？
いえいえ。それではぜんぜん足りません。
パスタをゆでるときの塩の適量は1％。
たっぷりの湯でゆでようと思うと
大体2ℓは必要なので塩は20g。
20gの塩をきちんと計ると、
思っていたよりも多いことにびっくりします。
パスタはうどんと違い、作るときに
塩を使ってないので、ここで塩味を
ちゃんとつけてあげることが大切。
味付けもこのゆで汁を使うと、
まろやかにおいしく仕上がります。

ペペロンチーノ

491 kcal

材料［1人分］

スパゲティ … 100g
ニンニクみじん切り … 1片分
赤唐辛子輪切り … 少々

塩 … 適量
オリーブオイル … 大さじ1
粉チーズ・黒コショウ（好みで） … 各適量

作り方

1. 鍋にたっぷりの湯をわかし、1％の塩（水2ℓに対し、塩20g）を入れて、スパゲティを好みのかたさにゆでる。

2. フライパンに、ニンニク、赤唐辛子、オリーブオイルを入れて弱火にかけ、香りが出るまで炒めて火を止める。焦がさないように注意。

3. スパゲティがゆであがったら、2のフライパンにゆで汁を大さじ3入れて弱火にかけ、スパゲティを入れて全体によく混ぜる。

4. 器に盛り、好みで粉チーズや黒コショウをかけていただく。

コツ!!

ちなみに20gの
塩はこれくらい。
一度はちゃんと
計って。

定番おかず

茶碗蒸しは蒸し器がなければ「地獄蒸し」で作る。

沸騰しているお湯に器を直接入れて蒸す。
これが「地獄蒸し」。
蒸し器がなくても簡単に茶碗蒸しが作れます。
蒸し器を使うより短い時間でできるのも
「地獄蒸し」のよいところ。
器も茶碗蒸し専用のものがなくても、
湯のみやそばちょこ、コーヒーカップなどで
代用できます。ふたには小皿などを使って。
塩分を加えてから卵を混ぜると、
白身がしっかり切れて混ざるので、
裏ごしする必要もありません。
このレシピはゆるめのとろとろ
茶碗蒸しなので、汁物の代わりにも。

茶碗蒸し

92 kcal

材料［２人分］

〈卵液〉
卵 … 1個
薄口しょうゆ … 小さじ1
塩 … 少々
だし汁 … 200cc

鶏もも肉 … 50g
シイタケ … 1個
ミツバ … 少々

作り方

1. ボウルに卵を割り、カラザをとる。薄口しょうゆ、塩を入れてよく混ぜてから、だし汁を加えて混ぜ、卵液を作る。
2. 鶏肉は1cm角、シイタケは石づきをとって薄切り、ミツバは3cmくらいに切る。
3. 器に鶏肉、シイタケを入れてから卵液を注ぎ、ミツバを入れてふたをする。
4. 鍋底から5cmくらい水を入れ、沸騰したら容器を入れ、鍋のふたをして中火で7～8分蒸す。
5. 竹串を刺してみて、澄んだ汁が上がってくれば蒸しあがり。

コツ!!

だし汁を入れる
前に卵と調味料を
白身が切れるように
よく混ぜる。

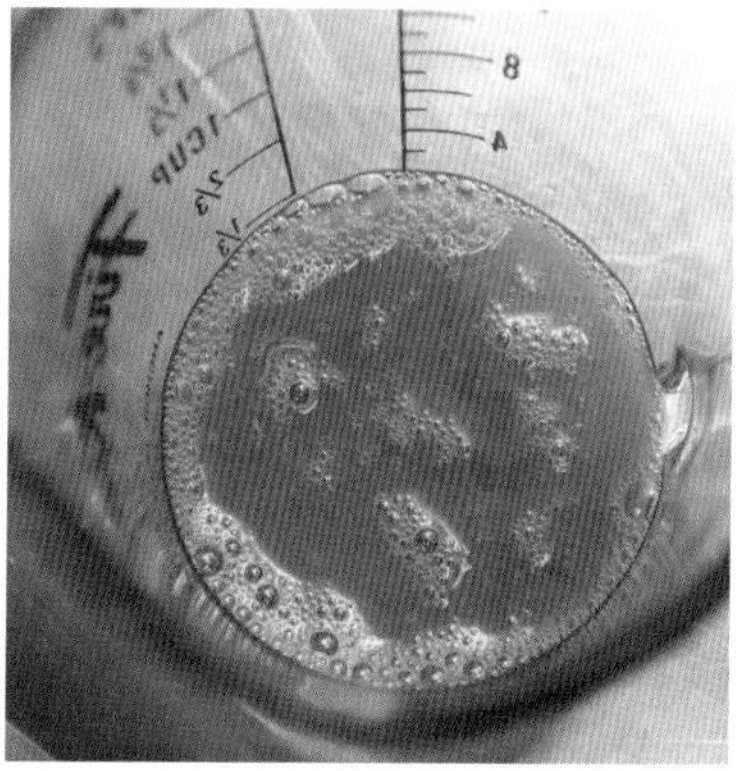

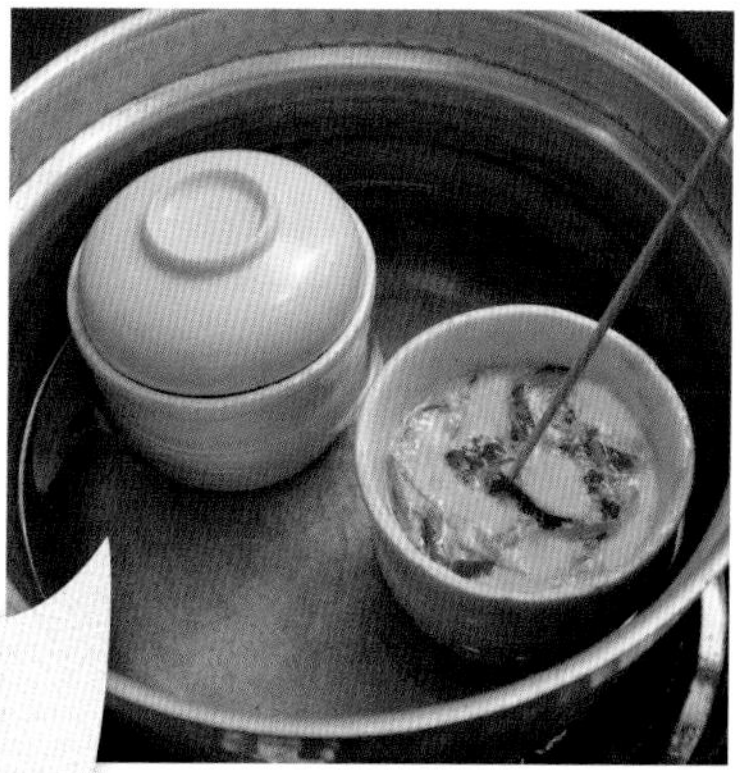

竹串で刺して、
澄んだ汁が
上がってきたら
できあがり。

味付けは、中華、洋風、なんでもOK

じつはバリエーションが楽しめる茶碗蒸し。鶏ガラスープを使って中華風にしたり、コンソメと牛乳を使って洋風にしてみたり。このレシピ同様、卵1個に水分200ccの割合で作ればとろとろに。少しかためにしたい場合は水分を減らしましょう。

台所道具のはなし 2

包丁

果物だけでなく、ジャガイモや里イモなどの皮をむくときも、ペティナイフのような小さめの包丁が扱いやすく便利です。

パン切り包丁は安いものほど、刃が薄く切りやすい傾向が。

持ち手まですべて鋼のものは、持ち手の部分が傷まず、汚れも付きにくいのでおススメ。

違うものを切るときは、包丁を必ず洗うかふくかして、味や香りが移らないように。

多少値がはっても包丁は質のよいものを

包丁は自分でマメに研げるなら、鋼《はがね》のものをおススメします。かたくてしならないので、切るときに的を外しにくく、薄切りなどが早く簡単に。きちんと研げば、切れ味も保てます。

自分で研がない場合や、簡易研ぎ器を使う場合は、ステンレス製のほうが使いやすいかも。ステンレス製を買うなら、質のよいものをぜひ。値段の目安は1万円くらい。安いものは薄くてペラペラなので使いにくく、結局何本も包丁を買ってしまうことになります。

パン切り包丁も1本あると便利です。サンドイッチやのり巻き、卵焼きなどやわらかいものは、刃が薄いパン切り包丁のほうがきれいに切れます。刃が薄いほど使いやすいので、安いもので大丈夫。

何はなくとも

正しくおいしい白飯とみそ汁

ふっくらご飯とシンプルなおみそ汁。

この二つが家ごはんの基本です。

白飯は米のとぎ方が決め手。最初の水は勢いよく入れてすぐ捨てる。

ご飯をおいしく炊くためには、
お米のとぎ方がとっても重要です。
私は文化鍋を使っていますが、
最近の電気炊飯器は性能がよくなっているので、
上手にとげば、かなりおいしいご飯が炊けるはず。
一番のポイントは、最初の水を可能な限り
勢いよく入れ、すぐに捨てること。
ここで時間がかかるとお米に糠の匂いが
移ってしまい、おいしく炊けません。
浄水器などを使っていて水量が少ない場合は
ボウルにためておいた水を一気に注いで。
とぐときに力を入れ過ぎるとお米が
砕けてしまうので、手を熊手の形にしてやさしく。

白飯

1602 kcal

材料［作りやすい分量］

米 … 3合
水 … 適量

作り方

1. 炊飯器の内釜に米を入れて、勢いよく水を入れ、1回ざっくり混ぜてすぐ水を捨てる。
2. 手を熊手のような形にして、20回かき混ぜる。
3. もう一度勢いよく水を入れ、ひと混ぜして水を捨てる。
4. 3と同様にもう一度水を入れてひと混ぜ。最後は米がこぼれ落ちない程度に水を捨てる。
5. 水加減をして30分以上おき、炊飯器の好みのメニューで炊く。

コツ!!

最大の水量にして、
勢いよく
水を入れる。

手を
底まで入れ、
1回ぐるっと
混ぜる。

混ぜたらすぐに
水を捨てる。

とぐときは力を
入れ過ぎないよう、
手を熊手にして。

塩むすびはアツアツのご飯をふんわりにぎる。

持ったときは崩れず、口に入れるとやさしく
ほぐれる。これがおいしいおむすび。
おむすびをおいしくにぎるコツは、
とにかくアツアツのご飯をふんわりと
にぎること。その加減は、
赤ちゃんの手をやさしくにぎるカンジ。
ご飯は冷めると粘度が増して
ご飯の粒同士がくっつくので、
ぎゅっとにぎると冷めたときに
かたいおむすびになってしまいます。
塩の量もとっても大事。
しっかり手に塩を付けてにぎりましょう。
濡れた手に塩をなじませて2回たたくと、
ちょうどよい塩加減になる量が手に残ります。

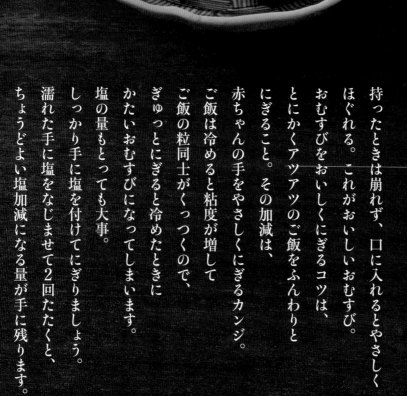

塩むすび

202 kcal

材料［1個分］

炊きたてのご飯
… 茶碗に軽く1杯
塩 … 小さじ1

作り方

1. 手を軽く濡らして塩をのせ、両手を合わせて全体になじませる。

2. 両手をパンパンと2回たたき、余分な塩を振り落とす。

3. ご飯を手にのせ、米粒の間に空気が残るよう、ふんわりにぎる。

コツ!!

おむすび1個に対し、
小さじ1の塩を
手にのせる。

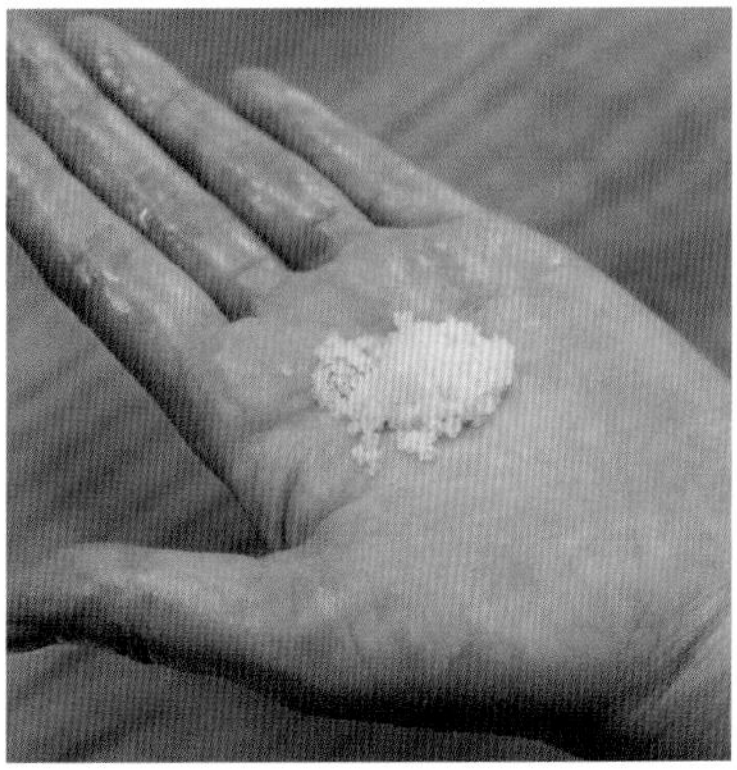

手を
2回たたくと、
ほどよい量の塩が
手に残る。

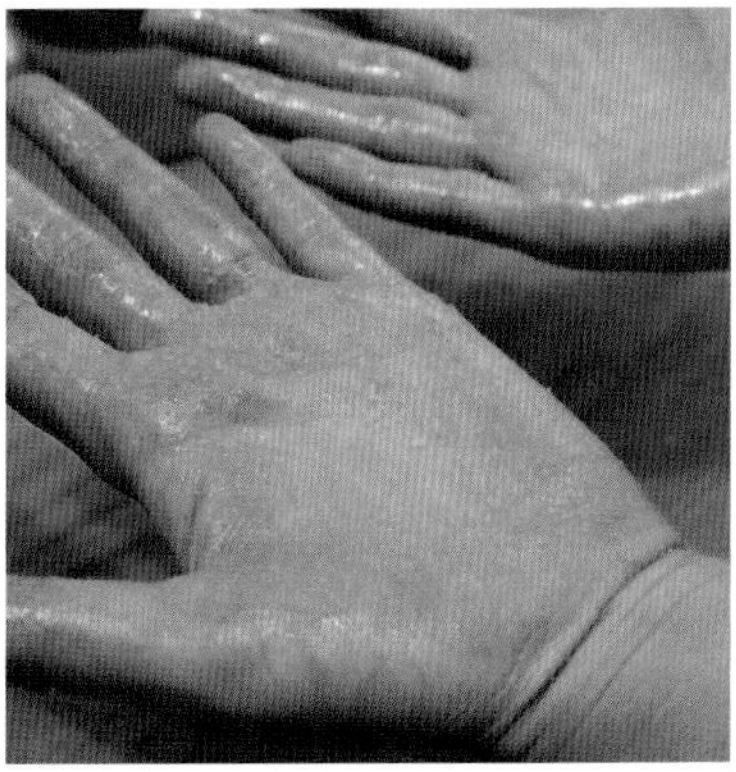

赤ちゃんの手を
にぎるように、
やさしく
ふんわりと。

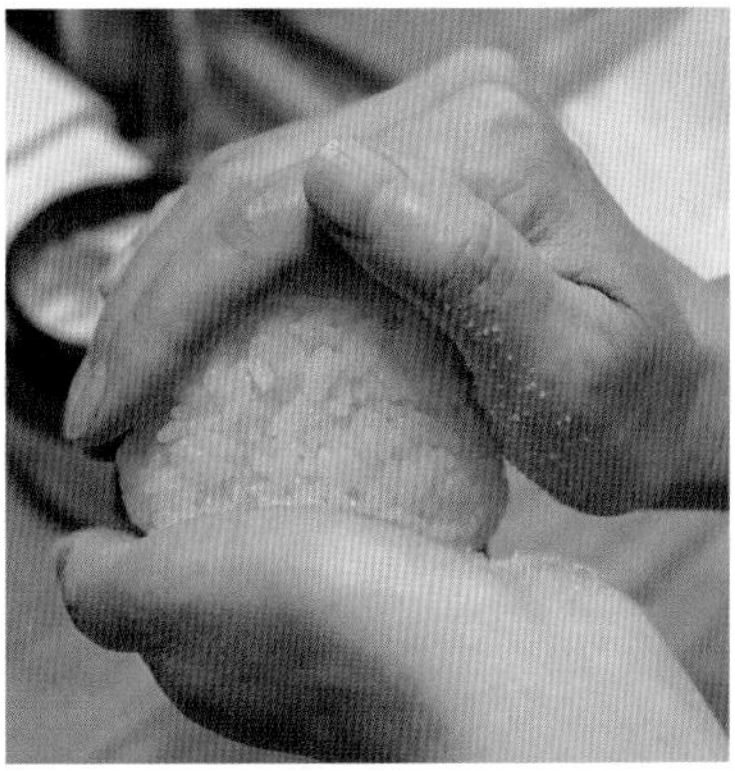

焼きおむすびは ご飯にしょうゆを混ぜてにぎる。

焼きおむすび

513 kcal

材料［小さめ４個分］

ご飯 … 茶碗２杯分
しょうゆ … 小さじ２

作り方

1. ご飯にしょうゆをかけ、全体を混ぜる。
2. 1を４等分し、小さめのおむすびを**ややきつめに**にぎる。
3. アルミホイルを敷いたオーブントースター（700w）で15分くらい、焦げ目が付くまで焼く。

コツ!!

しょうゆ味が全体にいきわたるよう、よく混ぜる

熱が加わると崩れやすいので、塩むすびより少しきつめに

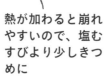

台所道具のはなし ③

文化鍋

文化鍋はとっても長持ち。使い始めて35年目の文化鍋です。

文化鍋のご飯の炊き方

1. 普通に米をとぎ(69ページ参照)、米がこぼれ落ちない程度に水を捨て、米と同量の水を入れて30分以上おく。
2. 鍋の底からはみ出さない程度の火加減で沸騰するまで炊き、沸騰したら鍋のふたがカタカタ鳴るくらいの弱めの中火で、音がしなくなるまで炊く。
3. 音がしなくなったら15秒強火にして火を止め、15分蒸らす。

文化鍋で炊いたご飯はおいしい!

私はご飯を文化鍋で炊いています。文化鍋を使ってガスで炊いたご飯って、本当においしいんですよ。文化鍋はふたの位置よりも鍋の側面が高く作られているため、ご飯を炊いても吹きこぼれません。厚さやふたの重さなどもご飯を炊くのにぴったりです。もちろん野菜やめんをゆでるときに使っても。水の量は、といだ最後に米がこぼれないくらいに捨てたら、米と同量の水を入れれば、ちょうどいい水加減に。

蒸らし終わったら、ざっくりと空気をご飯の間に含ませるように混ぜて。

みそ汁は煮過ぎずに、みその香りを残す。

みそ汁は料理を始める人に、最初に
挑戦して欲しい料理。好きな具材を
選べるし、失敗もほとんどありません。
一つだけ気を付けて欲しいのは、
みそを入れてから煮過ぎないこと。
具はみそを入れる前に十分火を通しておき、
みそを入れたらひと煮立ち、つまり、
もう一度沸騰したらすぐに火を止めます。
そうするとお椀に盛ったときに、
ふんわりみその香りが立ち上る、
おいしいみそ汁に。
野菜不足だなと感じたら、具だくさんの
みそ汁を作って野菜を補いましょう。

基本のみそ汁

112 kcal

材料［多めの２人分］

豆腐 … 1/2丁
長ネギ … 10㎝
乾燥ワカメ … 2 g

水 … 600 cc
顆粒かつおだしの素 … 小さじ2/3
みそ … 大さじ 3

作り方

1. 豆腐は1㎝角に切る。長ネギは小口切りにする。
2. 鍋に水、顆粒だしの素、乾燥ワカメ、豆腐を入れて中火で煮立てる。
3. ワカメが十分に広がったら、みそを溶き入れひと煮する。
4. 器に盛り、長ネギを入れる。

コツ!!

1人分の
量の目安は、
水200ccに対して、
みそ大さじ1、
顆粒だし小さじ1/4。

チャレンジはみそ汁から

試したことのない、あるいは料理の本に載っていない、少し変わった食材の取り合わせにチャレンジするときも、まずはみそ汁から。包容力のあるみそがちゃんと味をまとめてくれます。みそ汁は冒険のスタートにぴったりの料理です。

台所道具のはなし ④

まな板

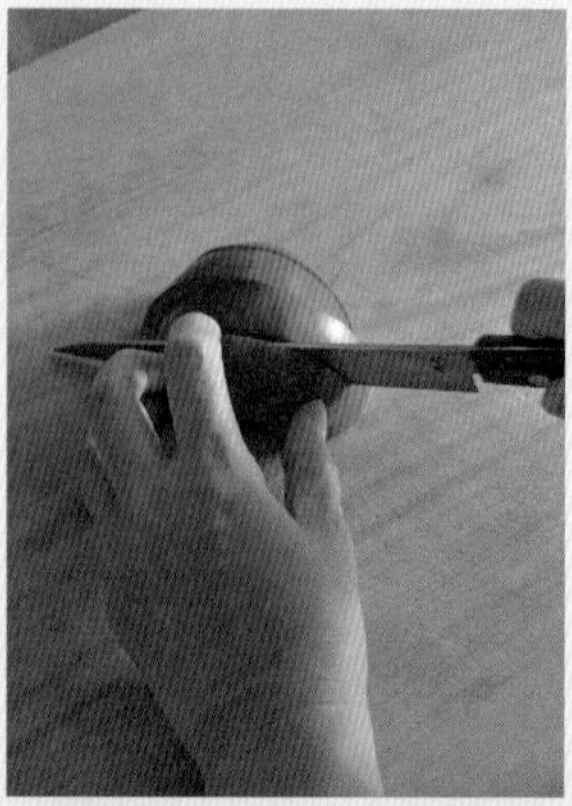

まな板も包丁同様、使ったらすぐに洗ったりふいたりして、清潔に保ちましょう。

まな板が安定しないときは、下にすべり止めシートをしくと、動きません。

ペラペラの薄いプラスチック製のものは、A５ぐらいの小サイズと、そのひと回り大きい２サイズあると便利。

まな板は刃あたりのやわらかい木製のものがおススメ

私はプラスチック製のまな板よりも、木製のまな板が好き。包丁の刃があたったときの感覚がやわらかいし、置いた素材がすべらないので、とても切りやすいんです。木製のまな板を買うなら、抗菌作用のあるヒノキのものがおススメ。使い終わったらクリームクレンザーを使って、木目に沿ってタワシでゴシゴシこすりましょう。

薄いプラスチックのまな板も、大きさ違いであると便利です。これのよいところは、切った素材をまな板ごとお鍋やフライパンのところに持っていけること。メインのまな板がふさがっているときや、メインのまな板の上で切ったものをすくって、鍋やフライパンに入れるときに重宝します。

みんな意外に知らない

野菜の旨みを引き出すコツ

料理は科学。おいしくなるには理由があります。
もっと食べたくなる野菜料理を作るコツ、教えます。

野菜を炒めるときは中火でじっくり旨みと甘みを引き出す。

野菜を炒めるときは、中火でじっくりと時間をかけて炒めます。これは炒め物でもスープでも同じこと。たとえば野菜炒め。強火で手早く作るには、中華屋さんのような強い火力が必要です。家で作るなら、プロとは真逆の中火でじっくり。炒め時間は4分間が一つの目安です。こうすることで野菜の水分がとんで、できあがりが水っぽくなりません。じっくり炒めることで甘みが引き出され、旨みも凝縮しておいしくなります。スープを作るときも、そのまま食べられるくらいまで炒めるのが、おいしく作るコツ。

炒め時間は４分。
結構長いので
最初は計って。

キャベツチャウダー

薄手の鍋だと炒めている間に焦げやすいので、厚手の鍋がなければ深めのフライパンで。
317 kcal

材料［２人分］

キャベツ … ２枚
タマネギ … 1/4個
マッシュルーム … ３個
ベーコン … １枚

バター … 大さじ２
小麦粉 … 大さじ1.5
牛乳 … 400cc
水 … 200cc
固形コンソメスープの素
… １個
塩 … 小さじ1/2
コショウ・粉チーズ
… 各少々
パセリのみじん切り（あれば）
… 少々

作り方

1. キャベツは２㎝角、タマネギとマッシュルームは薄切り、ベーコンは短冊切りにする。
2. 厚手の鍋にバターを中火で溶かし、キャベツ、タマネギ、ベーコンを入れ、焦がさないように全体がしんなりするまで４分炒める。
3. マッシュルームを入れて混ぜ、小麦粉を加えて粉っぽさがなくなるまで炒める。
4. 牛乳、水、固形スープの素を入れて混ぜながら煮立て、**煮立ったら弱火**にし、ときどき混ぜながら５分煮る。

吹きこぼれに注意！

5. 塩、コショウ、粉チーズを加えて仕上げ、器に盛ってあればパセリのみじん切りを散らす。

塩野菜炒め

野菜をしっかり炒めて水分をとばして、最後は強火で仕上げれば、調味料を入れても水っぽくなりません。

172 kcal

材料［2〜3人分］

キャベツ … 2枚
シイタケ … 2個
ニンジン … 3㎝
もやし … 1袋(100g)
豚薄切り肉 … 60g

ゴマ油 … 大さじ2
顆粒鶏スープの素 … 小さじ1/3
塩 … 小さじ1/2
コショウ … 少々

作り方

1. キャベツは4㎝角、シイタケは石づきをとって薄切り、ニンジンは短冊切りにする。もやしは気になるようならひげ根をとる。豚肉は3㎝幅に切る。
2. フライパンにゴマ油を中火で熱し、野菜をすべて入れて焦がさないように4分炒める。
3. 野菜がやわらかくなり、**水分がとんだら、野菜を片側に寄せ、空いたところで豚肉を炒める。**
4. 豚肉に火が通ったら強火にし、顆粒鶏スープの素、塩、コショウで調味する。

豚肉は後から入れてやわらかく仕上げる

ホイコーロー

甜《てん》麺醤《めんじゃん》がなくたって、
八丁みそがあればホイコーローのあの味に。
調味料を入れた後は全体が混ざればできあがり。

321 kcal

材料［2～3人分］

キャベツ … 4枚
長ネギ … 1本
豚薄切り肉 … 100g
赤唐辛子輪切り
… 1本分
ニンニク薄切り
… 1片分

ゴマ油 … 大さじ2

〈調味料〉
八丁みそ … 大さじ2
みそ … 大さじ2
砂糖 … 大さじ2
酒 … 大さじ2

作り方

1. キャベツは4cm角、長ネギは斜め薄切りにする。豚肉は3cm幅に切る。調味料を混ぜ合わせておく。
2. フライパンにゴマ油を中火で熱し、キャベツ、長ネギ、赤唐辛子、ニンニクを入れて焦がさないように4分炒める。
3. 野菜をフライパンの片側に寄せ、手前をあけて肉を入れて炒め、肉にやや焦げ目が付いたら全体を混ぜ、調味料を加えて混ぜ合わせる。

青菜をゆでるときは、しっかり塩を入れて旨みを逃さない。

青菜をゆでるときに塩を入れるのは、色をよくするためだけではありません。塩を入れずにゆでると、浸透圧で旨みがすべてお湯に逃げてしまいます。塩の量は、1・5ℓのお湯に対して小さじ2。

青菜を湯に入れるときは、茎から入れてしんなりするまで待ってから、湯の中に沈めましょう。そうすると時間差ができ、茎の部分と葉の部分がちょうどよくゆであがります。

青菜はまとめてゆでて冷蔵しておくと、さっと使えて便利。保存するときは絞らず、使うときに絞ります。

水1.5ℓに対し、塩は小さじ2もしくは山盛り1杯。

茎から入れて、しんなりするまで待って沈めると、ゆであがりが均一に。

小松菜のおひたし

漬け汁に青菜をひたすから、「おひたし」。味がしみるまで、15分以上はひたしましょう。
26 kcal

材料［2〜3人分］

小松菜 … 1把
水 … 1.5 ℓ
塩 … 小さじ2

〈漬け汁〉
めんつゆ（3倍濃縮タイプ）
… 大さじ2
水 … 200cc

作り方

1. 小松菜は10分ほどたっぷりの水につけ、根元の泥をゆるめて落とす。鍋に湯を沸かし、塩を入れる。
2. 小松菜を根元から鍋に入れ、自然に茎がしんなりするまで手で持って待ち、全体を鍋に沈める。
3. 好みのかたさになるまでゆで、冷水にとって冷ます。根元をそろえて引き上げ、軽く絞って根を切り落とし、4㎝くらいに切る。
4. **小松菜をもう一度軽く絞り**、漬け汁を入れたボウルに15分ほどひたす。

一度でぎゅっと絞るより、軽く何度か絞ったほうが葉が崩れない

ほうれん草のゴマ和え

青菜に水分があるので、和えごろもは固めに作ります。
甘めが好きなら、しょうゆを小さじ１分減らして。
83 kcal

材料［2〜3人分］

ほうれん草
…１把

〈和えごろも〉
白すりゴマ … 大さじ３
砂糖 … 小さじ２
しょうゆ … 小さじ４

作り方

1. 83ページの小松菜同様にほうれん草をゆで、水気を軽く絞って４cmに切る。
2. ボウルに和えごろもの材料を入れて混ぜ、ほうれん草を和える。

小松菜の韓国風和え物

ニンニクをきかせた、つまみにもなる一品。
ゆで青菜を保存しておくと、
こうした和え物がさっと作れます。
27 kcal

材料［2〜3人分］

小松菜 … 1/2把

〈調味料〉
ニンニクすりおろし … 1/2片分
ゴマ油 … 小さじ1
しょうゆ … 小さじ1/2
顆粒鶏スープの素 … 小さじ1/3
塩 … 小さじ1/4
コショウ … 少々

白いりゴマ … 少々

作り方

1. 83ページ同様に小松菜をゆで、水気を軽く絞ってざく切りにする。
2. ボウルに小松菜を入れ、調味料を加えて和える。器に盛り、白いりゴマを散らす。

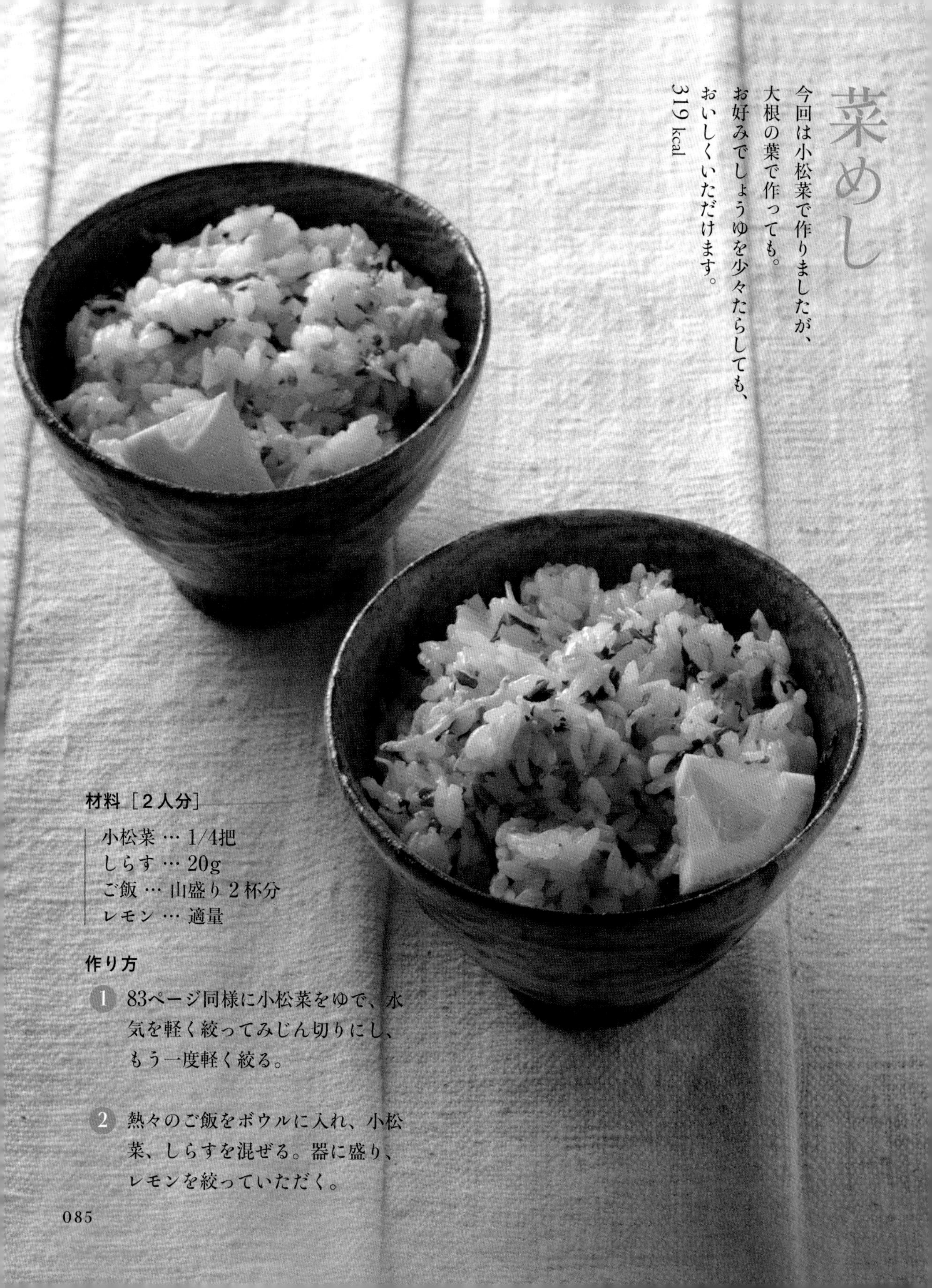

菜めし

今回は小松菜で作りましたが、
大根の葉で作っても。
お好みでしょうゆを少々たらしても、
おいしくいただけます。

319 kcal

材料［2人分］

- 小松菜 … 1/4把
- しらす … 20g
- ご飯 … 山盛り2杯分
- レモン … 適量

作り方

1. 83ページ同様に小松菜をゆで、水気を軽く絞ってみじん切りにし、もう一度軽く絞る。

2. 熱々のご飯をボウルに入れ、小松菜、しらすを混ぜる。器に盛り、レモンを絞っていただく。

煮物の味は冷めるときにしみる。

煮物って、作りたてよりも
しばらくおいてからのほうが、
味がしみておいしくなると思いませんか。
これは、冷めるときに
具材が煮汁を吸うため。
煮あがりは外側にしか味が付いていませんが、
煮汁を吸うと中までしっかり味がしみます。
だから煮物を作るときは、
煮汁をある程度
残した状態で火を止めましょう。
カボチャやいも類など、
煮汁をたくさん吸う具材のときには
少し多めに煮汁を残して火を止めて。
５分くらいおくと食べごろに。

煮汁が鍋底から
3cmになったら
火を止めて。

５分くらいおくと、
具材が煮汁を
吸って
味がしみます。

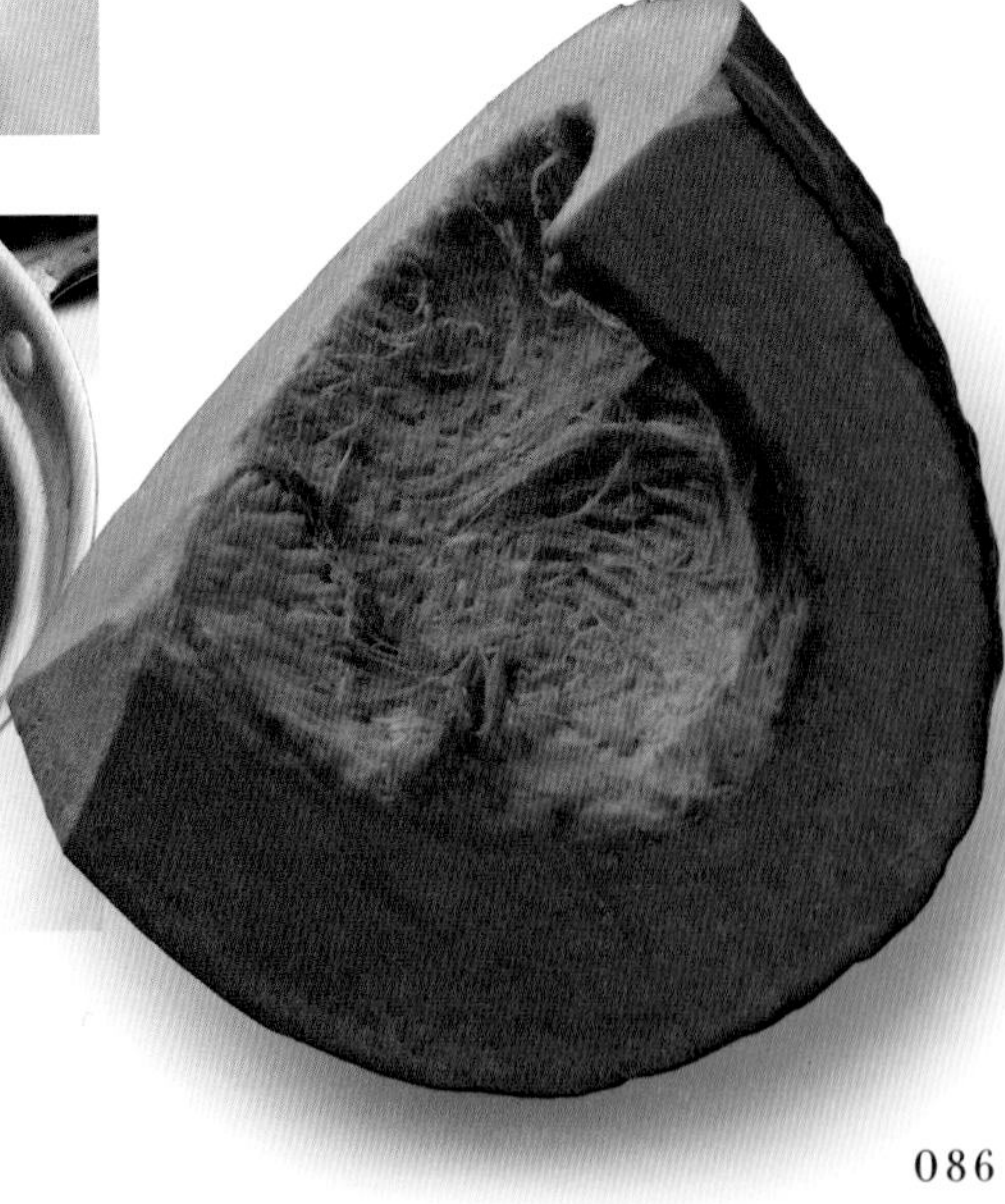

カボチャの煮物

だしは使わず、しょうゆと砂糖だけで煮て、カボチャ自身のおいしさを味わう煮物です。

174 kcal

材料［2人分］

カボチャ
… 350g（1/4個）
しょうゆ … 大さじ2
砂糖 … 大さじ1.5

作り方

1. カボチャは種をとり、大きめの一口大に切る。
2. カボチャを鍋に入れ、ひたひたの水を注ぎ、しょうゆ、砂糖を入れる。
3. 鍋を強火にかけ、煮立ったら中火にして、カボチャがやわらかくなるまで煮る。
4. 煮汁が鍋底から3㎝くらいになったら火を止め、煮汁がカボチャにしみ込むまで5分ほどおく。

筑前煮

これ一品で肉も野菜もしっかりとれるのがうれしい、
おばあちゃんが作ってくれたような懐かしい味の煮物。
212 kcal

材料［2〜3人分］

鶏もも肉 … 1枚（200g）
シイタケ … 2個
ゆでタケノコ
… 1/2個（100g）
ニンジン … 1/2本（70g）
ゴボウ … 10㎝（40g）
インゲン … 4本

しょうゆ … 大さじ1.5
砂糖 … 小さじ2
顆粒かつおだし
… 小さじ1/3

作り方

1. 鶏肉は5㎝角に切る。シイタケは石づきをとって四つ割りに。タケノコ、ニンジンは乱切りに、ゴボウはタワシでこすって洗い乱切りにする。インゲンは3㎝くらいの斜め切りにする。
2. 鍋に鶏肉を入れ、かぶるくらいの水を注いで強火にかけ、煮立ったら中火にして10分煮る。インゲン以外の野菜を入れ、さらに10分煮る。
3. インゲンと調味料を入れ、煮汁が鍋底から1㎝くらいになるまで煮て、火を止めて5分ほどおく。

白菜とブロックベーコンの煮物

スープ感覚でいただく、やさしい味の洋風煮物。
ベーコンを先に煮ておくと、おいしいだしが出ます。
239 kcal

材料［2人分］

白菜 … 1/4株
ブロックベーコン … 100g

水 … 800cc
固形コンソメスープの素 … 1個
塩 … 小さじ1/2
コショウ … 少々
オリーブオイル・黒コショウ(好みで)… 各少々

作り方

1. 白菜は4cm角のざく切り、ベーコンは5mmの厚さに切る。
2. 鍋にベーコンと水を入れてふたをして強火にかけ、煮立ったら弱火にして10分煮る。
3. 白菜と固形スープの素を加えてさらに7分煮る。
4. ベーコンから塩味が出るので、味をみながら塩・コショウで調味する。
5. **火を止めて5分ほどおいてから**器に盛り、好みでオリーブオイル、黒コショウをかけていただく。

熱々で食べたい場合はもう一度あたためて

キュウリもみは もまない。

「キュウリもみ」。この名前から、塩をして、すぐにギュギュッともむことを想像する人もいるのでは？

でも、キュウリもみは、もんではダメ。

塩を振ってすぐにもんだら、キュウリが粉々になってしまいます。

キュウリに塩を振って軽く混ぜたら、しんなりするまでおいておきましょう。

しんなりしたら、あとはやさしく絞ります。

スライスして塩をしたキュウリは絞らずに密閉容器に入れておけば、冷蔵庫で5日くらい日持ちがします。

まとめて作っておくと酢の物やサラダにささっと使えて便利です。

塩を振ってすぐの
この状態でもむと、

キュウリもみトースト

びっくりするおいしさの変わりトースト。
さわやかな味わいがクセになります。
236 kcal

材料［1人分］

キュウリ…1本
食パン…1枚
オリーブオイル…小さじ1
マヨネーズ…適量
黒コショウ…少々

作り方

1. キュウリは薄い輪切りにし、塩小さじ1/4（分量外）を振ってしんなりするまでおき、軽く絞る。

2. 食パンをトーストし、オリーブオイルを塗ってキュウリもみをたっぷりのせ、マヨネーズをかけて黒コショウを振る。

キュウリとワカメの酢の物

ショウガがアクセントのさっぱり酢の物。
合わせ酢は砂糖が溶けるまでよく混ぜて。
48 kcal

材料［2人分］

キュウリ …1本
乾燥ワカメ …2g
長イモ …3㎝
ショウガせん切り
…薄切り4枚分

〈合わせ酢〉
酢 … 大さじ2
砂糖 … 小さじ2
しょうゆ
… 小さじ1/2

作り方

1. キュウリは薄い輪切りにし、塩小さじ1/4（分量外）を振ってしんなりするまでおき、軽く絞る。

2. 乾燥ワカメはたっぷりの水で戻してざく切りにし、水気を絞る。長イモは皮をむいて5㎜角に切る。

3. ボウルに合わせ酢の材料を入れて混ぜ、1と2、ショウガを入れて混ぜる。合わせ酢ごと器に盛る。

山の冷や汁

魚を使わず、手軽にキュウリと豆腐だけで作るから、〝山の〟冷や汁。
夏はだし汁を少なめにして氷を入れたり、大葉やミョウガを加えても。

481 kcal

材料［2〜3人分］

キュウリ … 1本
木綿豆腐 … 1丁

みそ … 大さじ3.5
だし汁 … 450cc
白すりゴマ
… 大さじ6

ご飯 … 適量

作り方

1. キュウリは薄い輪切りにし、塩小さじ1/4（分量外）を振ってしんなりするまでおき、軽く絞る。
2. みそを金物のスプーンにとり、**直火であぶって焦げ目を付ける。**
3. みそをボウルに入れて冷たいだし汁に溶かし、豆腐を手でちぎって加える。キュウリもみ、すりゴマを加えて混ぜる。
4. 熱々のご飯に少しずつかけながらいただく。

この焦げ目が香ばしいおいしさに

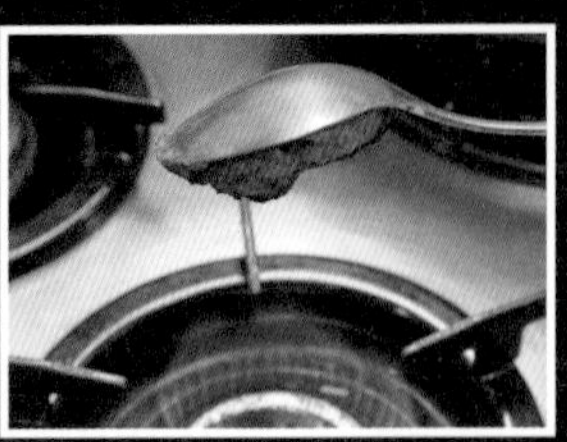

スプーンを裏返して、コンロの火に近付けあぶる。

キュウリと炒り卵のちらし寿司

キュウリもみを使ったカンタンちらし寿司。ここではカニ缶を使いましたが、アジの干物や塩鮭をほぐしたものでもOK。

1620 kcal

材料［作りやすい分量］

キュウリ … 1本
卵 … 2個
カニ缶 … 1缶(110g)
黒いりゴマ … 大さじ 4

サラダ油 … 少々
砂糖 … 小さじ 2
塩 … 少々

かためにに炊いたご飯
… 2合分

〈すし酢〉
酢 … 大さじ 4
砂糖 … 大さじ 2
塩 … 小さじ1/2

作り方

1. キュウリは薄い輪切りにし、塩小さじ1/4(分量外)を振ってしんなりするまでおき、軽く絞る。
2. 卵を割り、砂糖、塩を加えて混ぜる。フライパンにサラダ油を中火で熱し、卵を入れてやわらかめの炒り卵を作る。
3. カニ缶は缶汁をきってほぐし、缶汁を大さじ1とっておく。すし酢の材料を合わせる。
4. 炊きたてのご飯にすし酢と3の缶汁を混ぜてかけ、全体をほぐしてひと肌に冷ます。
5. キュウリもみ、炒り卵、カニ缶、黒ゴマを入れて混ぜる。

ゴボウの皮はむかない。

私はゴボウの皮はむきません。
だって一番香りのよい部分だから。
タワシでこすり洗いをするだけで、
汚れをとるには十分です。
あくも味のうちなので、仕上がりの
色味を気にしない料理や、濃い目の
味付けの料理なら、あく抜きもしません。
ゴボウは、ささがき、細切り、薄切り、
ぶつ切りなど、切り方次第で、
いろいろな食感が楽しめる食材。
ささがきはピーラーを使えばカンタンに。
斜め薄切りにすると繊維が切れるので、
歯ごたえとやわらかさの両方が味わえます。

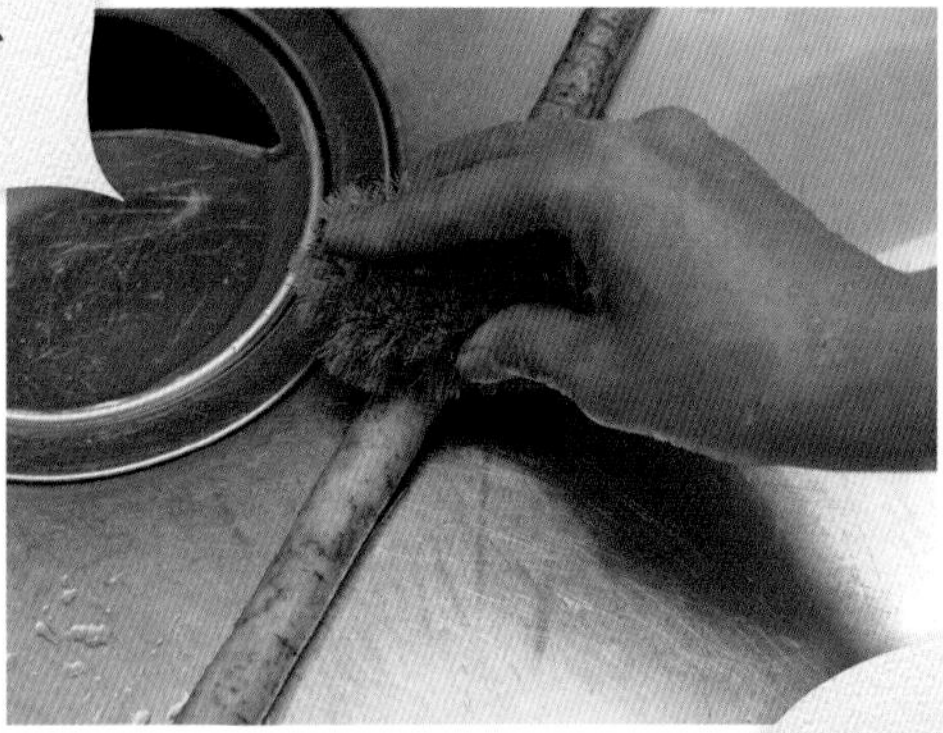
シンクの中で
タワシで汚れを
こすり落とす。

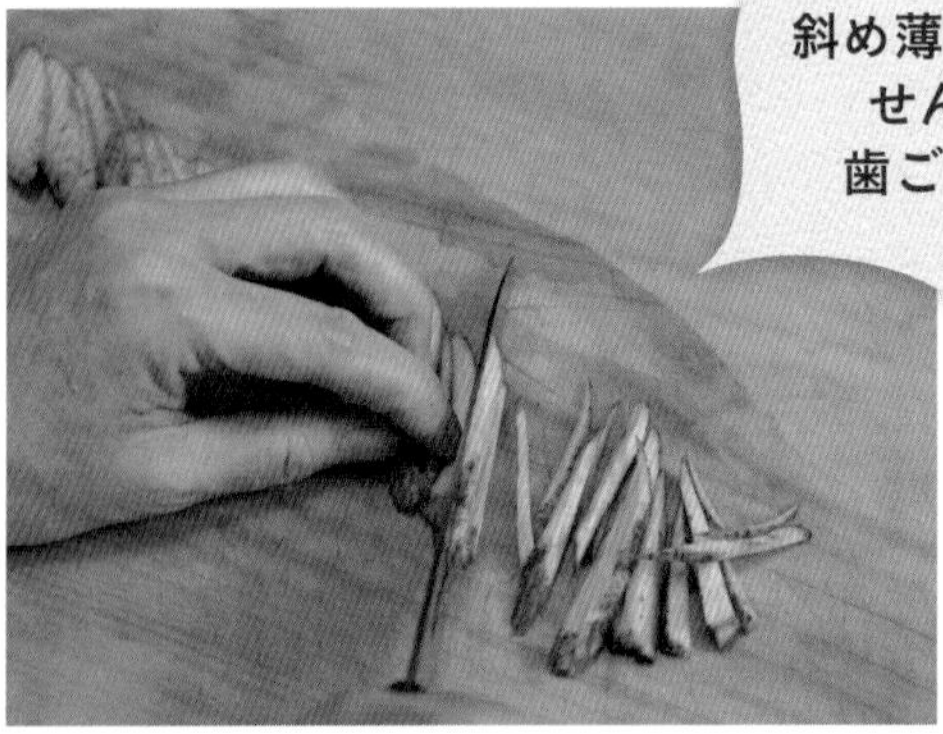
きんぴらは
斜め薄切りにしてから
せん切りにして
歯ごたえを残す。

きんぴらゴボウ

辛いのが好きなら、赤唐辛子の輪切りをいっしょに炒めて。いろいろな好みの人がいる場合は食べるときに一味や七味を。

73 kcal

材料［2〜3人分］

ゴボウ … 細いもの1本(100g)
ニンジン … 5㎝(60g)

ゴマ油 … 小さじ2
砂糖 … 小さじ1.5
しょうゆ … 大さじ1

白いりゴマ、七味など(好みで) … 少々

作り方

1. ゴボウはタワシでこすって表面を洗い、ニンジンは皮をむく。どちらも斜め薄切りにしてからせん切りにする。
2. フライパンにゴマ油を中火で熱し、ゴボウ、ニンジンを入れ、しんなりするまで3分くらい炒める。
3. 砂糖、しょうゆを入れて水気がなくなるまで炒める。器に盛り、好みで白いりゴマ、七味などを振る。

ゴボウのから揚げ

しょうゆの香りが香ばしい、おつまみにぴったりの一品。
小麦粉に片栗粉を加えてカリッと仕上げます。

153 kcal

材料［2〜3人分］

ゴボウ … 太いもの1本

しょうゆ … 小さじ1
小麦粉 … 大さじ2
片栗粉 … 大さじ1

揚げ油 … 適量
塩・コショウ（好みで）… 各少々

作り方

1. ゴボウはタワシでこすって表面を洗い、斜め薄切りにし、ボウルに入れてしょうゆをまぶす。
2. 小麦粉と片栗粉を混ぜ、ゴボウにまぶす。
3. 揚げ油を170℃に熱し、ゴボウを入れてカリッとするまで揚げる。
4. 味が薄く感じるときは、好みで塩・コショウを振っていただく。

ゴボウと牛薄切り肉の煮物

薄切り肉と煮るときは、ゴボウもささがきにしてやさしい食感に。すぐに煮えて時間がかからないのがささがきのうれしいところ。

314 kcal

材料［2～3人分］

ゴボウ
… 細いもの1本（100g）
長ネギ … 1本
牛薄切り肉 … 150g

しょうゆ … 大さじ2.5
砂糖 … 大さじ1.5

万能ネギ小口切り（あれば）
… 1本分

作り方

1. ゴボウはタワシでこすって洗い、ピーラーでささがきにして水に放す。長ネギは斜め薄切り、牛肉はざく切りにする。

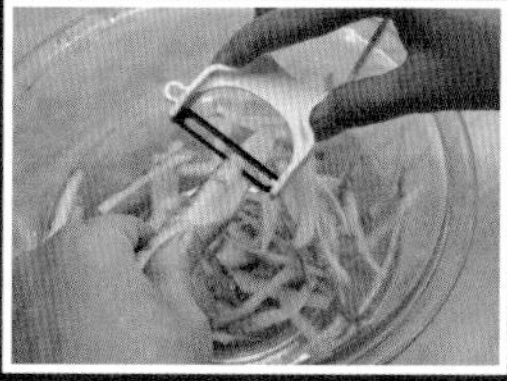

ボウルに水を入れ、その上でささがきにする。

2. 鍋に具を入れて、ひたひたに水を注ぎ、しょうゆ、砂糖を入れて中火で煮立てる。

3. 煮立ったらあくをとり、煮汁が鍋底から1㎝くらいになるまで、7分ほど煮る。器に盛り、あれば万能ネギ小口切りを散らす。

グリーンアスパラは蒸し焼きにして旨みをとじ込める。

グリーンアスパラを調理するなら、
蒸し焼きが、断然おススメ。
ゆでるとどうしても水っぽくなり、
旨みが抜けてしまいますが、
蒸し焼きなら香りもよく
アスパラのおいしさをしっかり味わえます。
アスパラを炒めてジューッと音が
してきたら、水を入れてすぐふたを。
湯気が出なくなったらできあがり。
アスパラは火が通りやすい野菜なのでこれで十分。
国産のやわらかいアスパラなら、
ハカマの部分をとる必要もありません。

アスパラ
１～２束なら、
水の量は
大さじ１でOK。

グリーンアスパラの蒸し焼き

アスパラのおいしさをストレートに味わうシンプル料理。
蒸し焼きのよさが実感できます。
45 kcal

材料［2人分］

グリーンアスパラ
… 2束（8〜10本）

オリーブオイル … 小さじ1
水 … 大さじ1
塩・黒コショウ … 各適量

作り方

1. グリーンアスパラは根元のかたいところを切り落とし、半分に切る。
2. フライパンにオリーブオイルを中火で熱し、グリーンアスパラを入れて軽く炒める。
3. 水を加えてふたをし、1分ほど蒸し焼きにする。器に盛り、塩・黒コショウを振っていただく。

グリーンアスパラとプチトマトの炒め物

蒸し焼きにするときは、必ず中～強火で。
弱火だと水分が出て煮物になってしまうので注意。
111 kcal

材料［2人分］

グリーンアスパラ
… 1束（4～5本）
プチトマト … 5個
ウインナーソーセージ … 2本
ニンニク薄切り … 1/2片分

オリーブオイル … 小さじ2
水 … 大さじ2.5
塩・黒コショウ … 各少々

作り方

1. グリーンアスパラは根元のかたいところを切り落とし、5㎝くらいに切る。プチトマトはへたをとり、半分に切る。ソーセージは斜め薄切りにする。
2. フライパンにオリーブオイルを中火で熱し、ニンニク、ソーセージを入れて香りが出るまで炒める。
3. グリーンアスパラ、プチトマトを加えて軽く炒め、水を入れてふたをし、2分ほど蒸し焼きにする。
4. 塩・黒コショウで調味してできあがり。

グリーンアスパラとチーズのオムレツ

チーズは溶けるタイプのスライスチーズを細かく切って使っても。
ハムやウインナーを入れればごちそう感がアップ。

196 kcal

材料［２人分］

グリーンアスパラ
… ３本
卵 … ３個
ピザ用チーズ
… 20g
牛乳 … 大さじ１

バター… 小さじ２
水 … 大さじ１
塩・コショウ
… 各少々

作り方

1 グリーンアスパラは根元のかたいところを切り落とし、１cmのぶつ切りにする。

2 ボウルに卵を割り、チーズ、牛乳、塩・コショウを加えて混ぜる。

3 フライパンにバターを入れて中火で溶かし、グリーンアスパラを入れて軽く炒める。水を入れてふたをし、１分ほど蒸し焼きにする。

4 ２の卵液を流し入れ、大きくゆっくりかき混ぜて半熟になったら30秒くらい触らずに焼き、鍋ぶたを使って裏返す（157ページ参照）。さらに１分焼いて取り出す。

大根おろしは大根の首の部分を使う。

大根は部分によって食感や味が違います。
葉に近い首のほうは繊維が太くてかたく、
先のほうにいくほどやわらかく。
サラダなどにはみずみずしい、
真ん中のあたりを使いましょう。
大根おろしにぴったりなのは
首の部分。
辛みが少なく甘みが強いので、
生でもおいしくいただけます。
和え物にするなら粗くおろせる
鬼おろしを使うのがおススメ。
ザクザクッとした食感が楽しめます。
辛みが強い一番先の部分を使う場合は、
その辛みを活かして薬味などに使っても。

葉に近い
「首」の部分は、
繊維が太くて
辛みが少ないので
大根おろし向き。

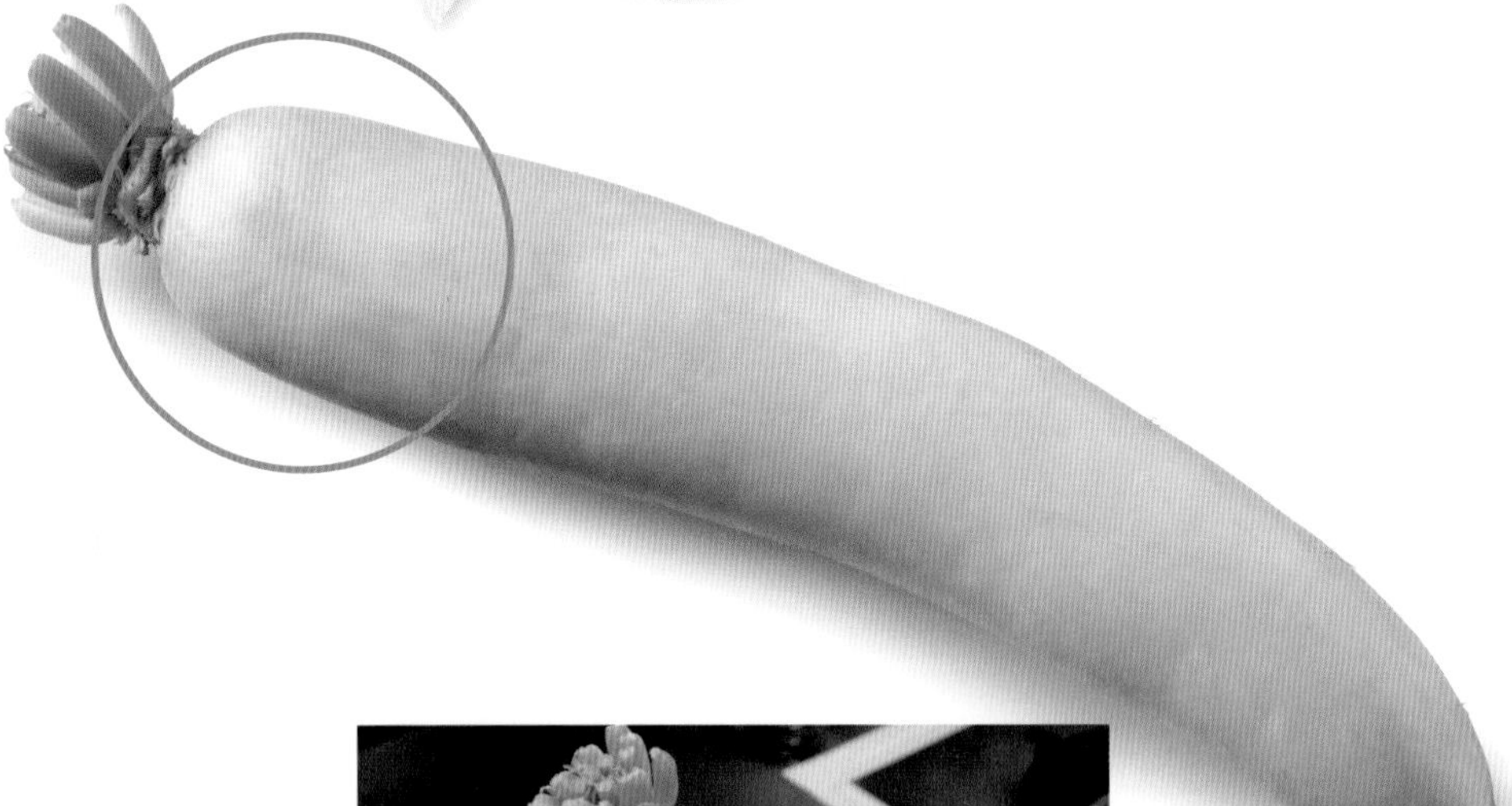

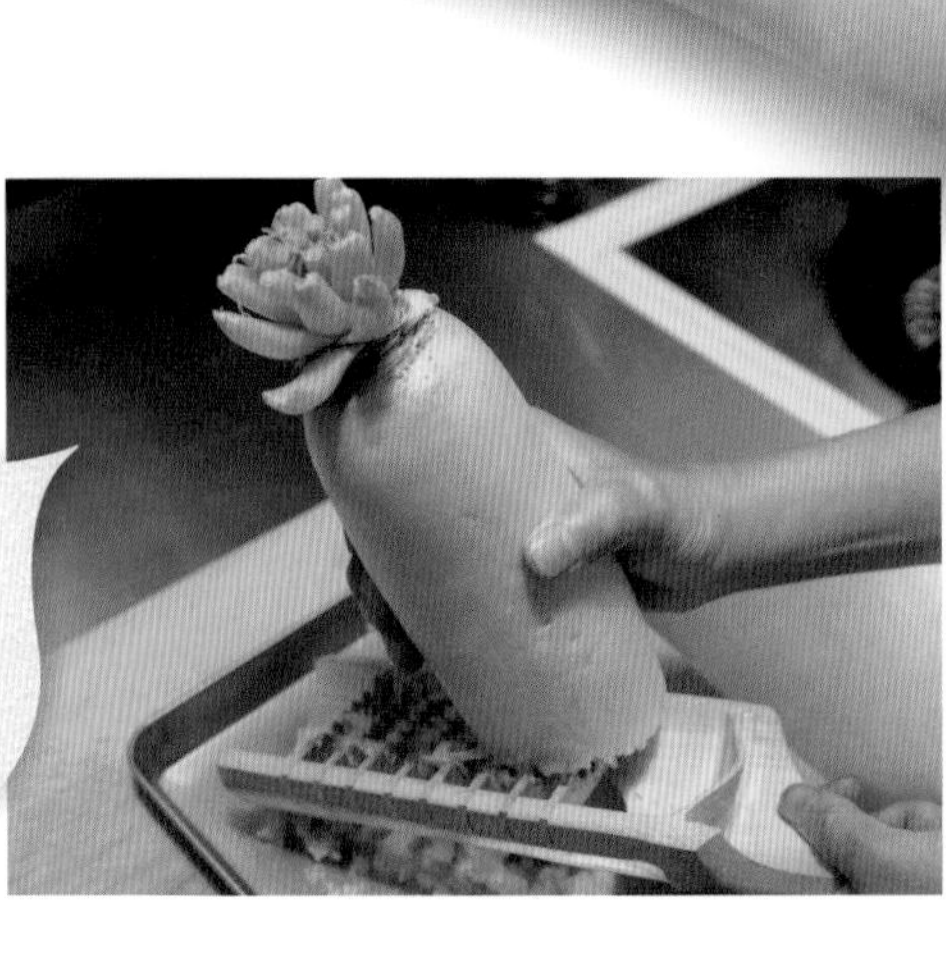

鬼おろしは、
引くか押すの
どちらか一方向で。
おろすと言うより
削る感じ。

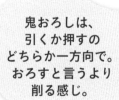

アジの干物とおろしの和え物

この料理には鬼おろしを使った粗い大根おろしがおススメ。その場合は水気をきらなくてもOK。

67 kcal

材料［2人分］

アジの干物 … 1枚
大根おろし … 1カップ
大葉粗みじん切り … 5枚分
しょうゆ … 少々
レモン（好みで）… 少々

作り方

1. アジの干物は焼いて、皮と骨をとり、粗くほぐす。
2. 大根おろしは軽く水気をきる。
3. アジ、大根おろし、大葉を混ぜて器に盛り、しょうゆをかけていただく。好みでレモンを絞っても。

鮭のみぞれ煮

大根おろしは火を通すと、ふわふわになって甘みが増します。
大根おろしの水分で煮るので、必ず汁ごと使って。

162 kcal

材料［２人分］

- 生鮭切り身 … ２切れ
- 大根おろし … １カップ
- 万能ネギ小口切り … 適量
- ポン酢 … 適量

作り方

1. 鍋に鮭を入れ、大根おろしを汁ごとかける。
2. ふたをして、**弱火で５分煮る**。
3. 火を止め、万能ネギの小口切りを入れ、ポン酢をかけていただく。

水分が減って鮭や大根が鍋にくっつき始めたら、水か酒を少し足して

明太おろしスパゲティ

いつもの明太スパが、大根おろしと大葉でさっぱり味に変身。
バターは常温に戻しておくと混ぜやすくなります。

510 kcal

材料［1人分］

- スパゲティ … 100g
- 薄皮をとった明太子 … 大さじ3
- 大根おろし … 1/2カップ
- 大葉せん切り … 3枚分
- バター … 大さじ1
- 塩・コショウ … 各少々
- しょうゆ … 少々
- 黒コショウ（好みで）… 少々

作り方

1. スパゲティは1％の塩（分量外）を加えた湯で、好みのかたさにゆでる。水気をきった大根おろしに大葉を混ぜておく。
2. スパゲティがゆであがったらザルにあけてゆで汁をきり、鍋に戻す。
3. 2に明太子、バター、コショウを加えて混ぜ、味をみて足りなければ塩を加えて混ぜる。
4. 器に盛り、大葉を混ぜた大根おろしをのせ、しょうゆをかける。好みで黒コショウを振っていただく。

洗い物が少なくすみ、スパゲティの温度も下がらない

切り干し大根は乾物といえども鮮度が命。

乾物は日持ちがするので、
常備しておくといろいろ便利に使えます。
でも！　切り干し大根はじつは鮮度が命。
新しいものほど、おいしいんです。
真っ白なものは漂白してあります。
少しベージュがかった白い色が、
漂白していない切り干し大根の自然な色。
古くなってくるとだんだん茶色く変わってきます。
茶色くなってからでも食べられますが、
できればおいしいうちに食べきりましょう。
煮物や汁物はもちろん、戻しただけでも
食べられるのでサラダに使っても。

これが干した
大根の自然な色。
日が経つとだんだん
茶色くなってくる。

戻し汁も
おいしいので、
少なめの水で戻して
だし汁に使って。

切り干し大根のみそ汁

切り干し大根は水で戻さずそのまま使います。
切り干し大根からもだしが出て、おいしいみそ汁に。

81 kcal

材料［2〜3人分］

切り干し大根 … 10g
ニンジン… 3㎝(30g)
油揚げ … 1/2枚
だし汁 … 600cc
みそ … 大さじ3弱

作り方

1. 切り干し大根はホコリや汚れが気になる場合はさっと洗う。ニンジンは皮をむいてせん切りに。油揚げは紙タオルにはさんで強く押し、余分な油をとって短冊に切る。
2. 鍋に切り干し大根、ニンジン、油揚げ、だし汁を入れて中火で煮立て、あくをとる。弱火〜中火のコトコト煮立つくらいの火加減で、切り干し大根がやわらかくなるまで4分ほど煮る。
3. みそを溶き入れ、1分ほど煮てできあがり。

切り干し大根とツナのサラダ

大根を切らなくていいので、普段の大根サラダよりもラクチン。
切り干し大根は前の晩から水にひたしておけば、すぐ使えます。

145 kcal

材料［2～3人分］

切り干し大根 … 20g
水菜 … 2株
ツナ缶 … 小1缶(80g)

マヨネーズ … 大さじ1
オリーブオイル … 小さじ2
しょうゆ … 小さじ1
レモン汁 … 小さじ1
塩 … 小さじ1/3
コショウ … 少々
黒コショウ・レモン(好みで)… 適量

作り方

1. 切り干し大根はかぶるくらいの水にひたし、やわらかくなるまで戻す。
2. 水菜は根を切り落とし、ざく切りにする。ツナ缶は油をきってほぐす。
3. 切り干し大根の水気をきり、すべての材料をボウルに入れてよく混ぜる。
4. 器に盛り、好みで黒コショウを振り、レモンを添える。

水の場合は1時間、
ぬるま湯なら30分くらい

切り干し大根とさつま揚げの煮物

冷たい煮汁から、切り干し大根を戻しながら煮る、カンタン煮物。
大根が水分を吸うので、多めの煮汁で煮ます。
133 kcal

材料［2人分］

切り干し大根 … 30g
さつま揚げ … 2枚（100g）

めんつゆ（3倍濃縮タイプ）
… 大さじ2.5
水 … 500cc

作り方

1. 切り干し大根はホコリや汚れが気になる場合はさっと洗う。さつま揚げは短冊に切る。
2. すべての材料を鍋に入れて中火で煮立て、煮立ったら弱火にして10分煮る。
3. 煮汁が鍋底から2～3㎝になるまで煮詰め、全体を混ぜて煮汁をからめる。

切り干し大根とニンジンの卵焼き

今回は煮物から作りましたが、
前日の残り物を使っても。
109ページの煮物でも
おいしく作れます。
149 kcal

材料［2人分］

ニンジン … 2㎝(25g)
切り干し大根 … 5g
卵 … 3個

しょうゆ … 小さじ2
砂糖 … 小さじ1/2
塩 … 小さじ1/4
サラダ油 … 小さじ1

作り方

1. ニンジンは皮をむいてせん切りにする。
2. 鍋に切り干し大根、ニンジンを入れ、ひたひたに水を注ぐ。しょうゆ、砂糖を入れて中火で煮立てる。煮立ったら落としぶたをして、材料がやわらかくなり、煮汁が鍋底から1㎝くらいになるまで煮る。
3. 卵をボウルに割り、塩と軽く煮汁をきった2を加えて混ぜる。フライパンにサラダ油を中火で熱し、卵を流し入れ、大きくゆっくり混ぜる。
4. 半熟になったら30秒くらい焼き、鍋のふたを使って裏返して(157ページ参照)、さらに1分焼く。**食べやすく切って**器に盛る。

パン切り包丁を
使うときれいに
切れる

切り干し大根の袋煮

切り干し大根は油揚げやさつま揚げなど、油気のあるものと相性抜群。
旨みたっぷりの戻し汁も使います。
73 kcal（1個分）

材料［4個分］

切り干し大根 … 15g
油揚げ … 2枚

めんつゆ
（3倍濃縮タイプ）
… 大さじ2
小松菜の塩ゆで
（あれば）… 適量

油揚げの上で箸を強く押しながらコロコロ転がすと、開きやすい

作り方

1. 切り干し大根はかぶるくらいの水にひたし、やわらかく戻す。
2. 油揚げは紙タオルにはさんで強く押し、余分な油をとる。半分に切り、**破らないように注意して袋状に開く**。
3. 1の水気をきってざく切りにし、油揚げに詰めて楊枝でとめる。
4. 大根の戻し汁と水（分量外）を合わせて400ccにし、鍋に入れる。3とめんつゆを入れて中火で煮立て、煮立ったら落としぶたをして、弱火で煮汁が鍋底から1㎝くらいになるまで煮る。
5. あれば小松菜などの青菜の塩ゆでを煮汁にからめ、いっしょに器に盛る。

長イモはたたいて、大和イモはおろしてよさを引き出す。

長イモと大和イモ、似ているようでも、その味わいはかなり違います。

長イモの持ち味はシャクシャクとした歯ざわり。これを味わうにはすりおろさず、たたいてつぶすのがおススメ。

煮物にしても、ジャガイモとは違ったホクホク感が楽しめます。

大和イモの特徴は、何と言ってもコシの強い粘り。この粘りを活かすのはすりおろしが一番。

まとまりがよいので、山かけにしても、箸でちゃんとすくえます。

まるめて揚げたり、鍋物の具にしても。

長イモは
袋の中に入れ、
すりこぎなどで
たたいてつぶす。

箸ですくえるほど、
粘り気の強い
大和イモ。

長イモとオクラのねばねば和え

トロッ、シャクッ、ネバッと、食感が楽しい和え物。
わさびじょうゆの代わりに、甘酢とわさびで和えても。

59 kcal

材料［2人分］

長イモ … 10㎝（100g）
オクラ … 2本
鶏ささみ … 1本
わさび・しょうゆ … 各適量

作り方

1. 長イモは皮をむいてポリ袋に入れ、1㎝角のかたまりが残るくらいに、すりこぎなどでたたいてつぶす。
2. オクラはガクのまわりのかたいところをむいて塩ゆでにし、冷水にとって冷ましてから小口切りにする。
3. 鶏ささみはラップをかけてレンジ強（500w）で1分加熱し、粗熱がとれたら粗くほぐす。
4. ボウルに1、2、3を入れて混ぜ、器に盛ってわさびじょうゆをかけていただく。

〝ものぐさ〟麦とろご飯

本当の麦とろご飯は大和イモをすりおろし、すり鉢ですってだしでのばしますが、これは長イモを使った超カンタンバージョン。

360 kcal

材料［2人分］

長イモ … 200g
卵 … 1個

かつおぶし … 3g
しょうゆ … 大さじ1

ご飯 … 適量

作り方

1. 長イモは皮をむいてポリ袋に入れ、1㎝角のかたまりが残るくらいに、すりこぎなどでたたいてつぶす。

2. 卵、かつおぶし、しょうゆを混ぜ、熱々のご飯にかけていただく。

長イモと牛肉の煮物

長イモと長ネギを使った、いわば「おとなの肉じゃが」。
食感のよさに加え、煮崩れしにくいのも長イモのうれしいところ。
490 kcal

材料［2人分］

長イモ … 250g
長ネギ … 1本
牛薄切り肉 … 150g

しょうゆ … 大さじ3
砂糖 … 大さじ2

作り方

1. 長イモは皮をむいて2㎝厚さの半月切り、長ネギは5㎜幅の斜め切り、牛肉はざく切りにする。
2. 鍋に1を入れてひたひたに水を注ぎ、調味料を入れて中火で煮立て、あくをとる。
3. 弱火にして、煮汁が鍋底から2㎝くらいになるまで煮て火を止め、5分ほどおく。

マグロの山かけ

大和イモを使うと、マグロといっしょに箸で食べられます。
マグロとはトロよりも、赤味のほうが大和イモと相性がよいみたい。
144 kcal

材料［1人分］

大和イモ … 60g
マグロぶつ切り … 60g
大葉（あれば）… 1枚
わさび・しょうゆ
… 各適量

作り方

1. 大和イモはスプーンで皮を**こそげとって**、すりおろす。
2. 器にあれば大葉をしいてマグロと大和イモを盛り、わさびをのせ、しょうゆをかけていただく。

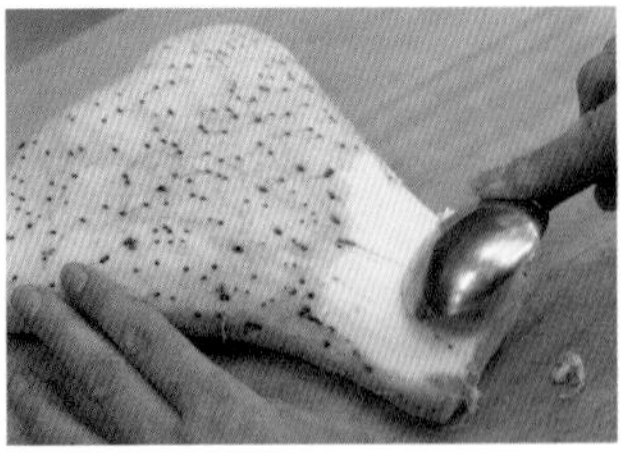

大和イモの皮はスプーンを使うと、細かいところまできれいにこそげとれる

大和イモの磯辺揚げ

もっちりした食感がおいしい、つまみにぴったりの一品。
すべて生でも食べられる食材なので、浮き上がってきたらできあがり。

81 kcal

材料［2人分］

大和イモ … 70g
海苔 … 2枚
大葉 … 12枚
揚げ油 … 適量
からし、しょうゆまたはポン酢 … 適量

作り方

1. 大和イモはスプーンで皮をこそげとって、すりおろす。
2. 海苔は1枚を3等分し、さらに半分に切る。
3. 海苔の上に**大和イモと大葉をのせ**、巻く。

大葉を先にのせるとくっつかないので、必ず大和イモを先に

4. 160℃に熱した油で1～2分揚げ、からしとしょうゆかポン酢をつけていただく。

台所道具のはなし 5

菜箸とれんげ

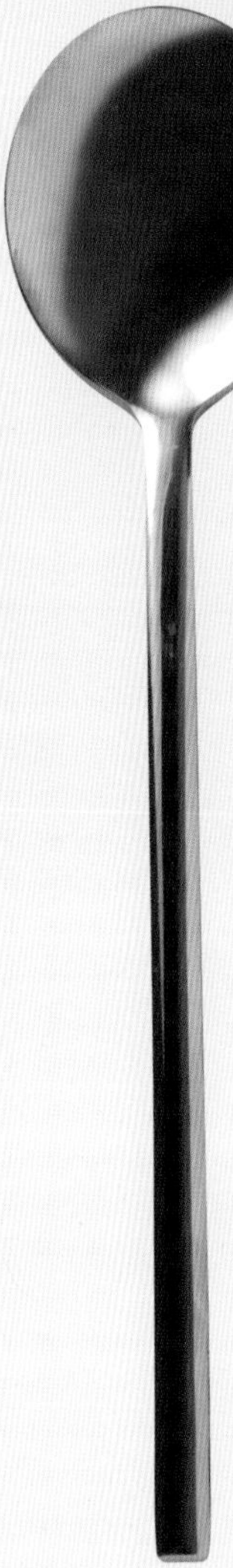

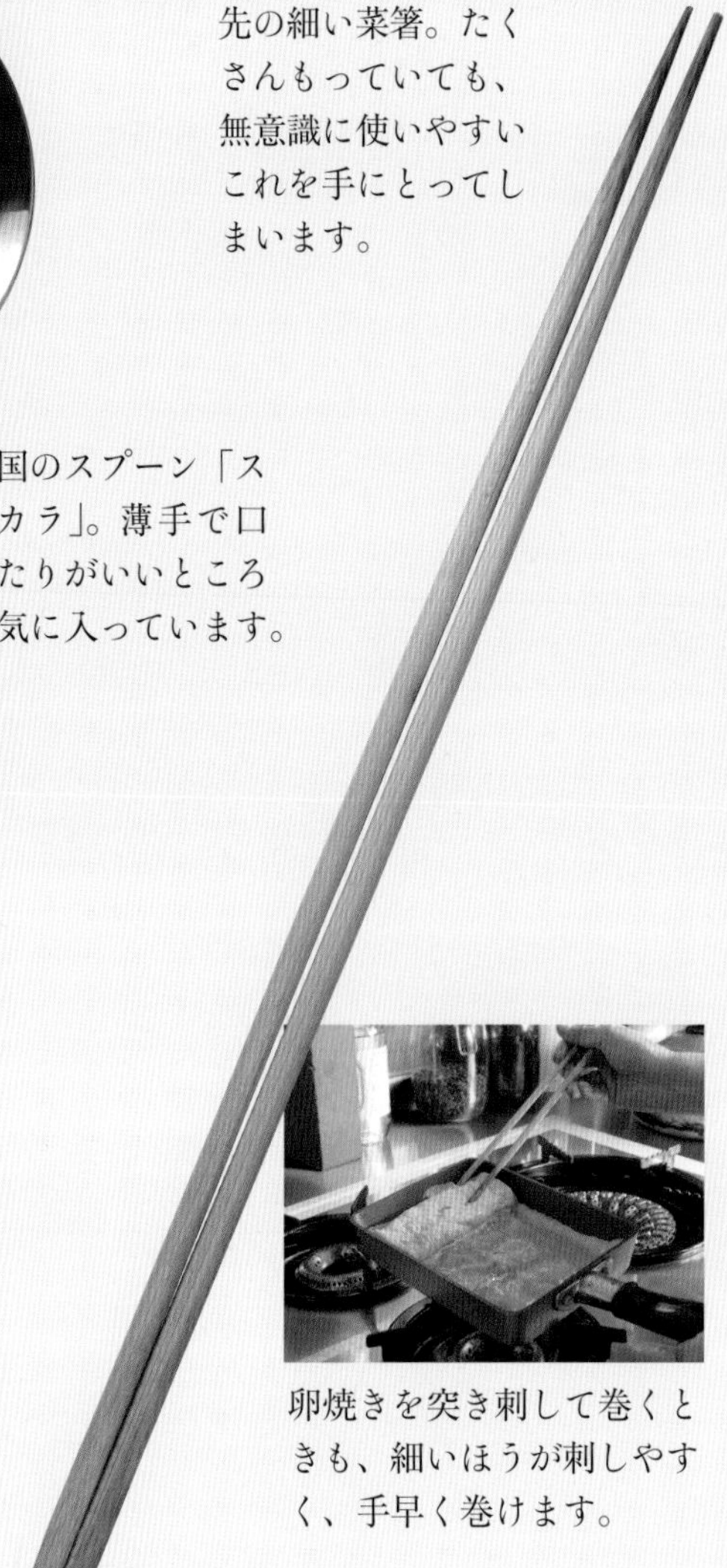

先の細い菜箸。たくさんもっていても、無意識に使いやすいこれを手にとってしまいます。

韓国のスプーン「スッカラ」。薄手で口当たりがいいところも気に入っています。

大きなれんげ。煮物や汁物をすくったり、盛り付けるのに重宝します。

卵焼きを突き刺して巻くときも、細いほうが刺しやすく、手早く巻けます。

私が愛用しているのは先の細い菜箸と大きなれんげ

仕事柄、うちにはたくさんの調理器具がありますが、中でも愛用しているのは先の細い菜箸と大きなれんげ。菜箸は先が細いもののほうが扱いやすく、細かい作業にも向いています。スーパーではあまり見かけませんが、デパートや専門店などで手に入ります。

大きなれんげは煮物や汁物などを盛るのにとっても便利。たとえば肉ジャガなど崩れやすいものでも、たっぷり上手にすくえます。

もう一つ重宝しているのが、韓国のスプーン「スッカラ」。柄が長いので熱が伝わりづらく、鍋から味見をするときにも便利です。道具も自分が使いやすいお気に入りを見つけていくと、どんどん料理が楽しく、ラクちんになりますよ。

作ってみたくなる簡単さ

肉や魚介をもっと食べやすくするコツ

メインの料理に欠かせない、お肉と魚介。素材に最適な調理法で、得意メニューを増やしましょう。

かたまり肉は
水からゆでる。

かたまり肉を大きなまま煮るときは、
かならず水から肉を入れて。
水からゆでると、細胞が壊れて、
やわらかくなります。
味を付けるのは、肉がやわらかくなってから。
調味料を入れてしまうと、
そこから先はやわらかくなりません。
好みのやわらかさまでゆでてから、
味付けをしましょう。
豚バラなど、脂の多さが気になる場合は、
前の晩にゆでて冷ましておくと、
溶け出した脂が固まってきれいにとれます。
そのまま煮るときは浮いている脂をすくって。

長時間
ゆでる場合は、
途中で
なくならないよう
たっぷりの水で。

豚の角煮

時間はかかりますが、
手間はほとんどかかりません。
じっくりゆでれば
脂の部分もトロトロに。
1628 kcal

材料［作りやすい分量］

豚バラかたまり肉 … 450g

酒 … 100cc
しょうゆ … 大さじ2
砂糖 … 大さじ1

小松菜の塩ゆで（あれば）
… 適量
練りからし（好みで）… 適量

作り方

1. 豚肉は6cmの幅に切って鍋に入れ、たっぷりの水を注ぎ、酒を加えて強火で煮立てる。
2. 煮立ったらあくをとり、コトコト煮立つくらいの弱火で2時間ほどゆでる。
3. 肉が十分やわらかくなったら、**脂が気になる場合は取り除き**、しょうゆ・砂糖を入れ、落としぶたをして煮汁が鍋底から1cmくらいになるまで煮る。
4. 器に盛って煮汁をかけ、あれば小松菜を添え、好みで練りからしも添える。

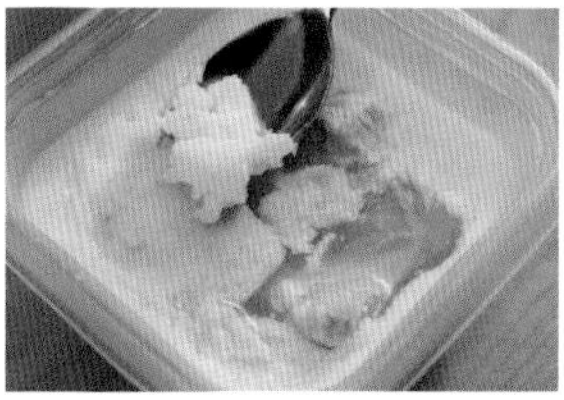

前の晩にゆで、冷ましておくと脂が固まってとりやすい

鶏もも肉のポトフ

ポトフ自体にはほとんど味を付けず、食べるときに自分の好みで塩やコショウを振ったり、粒マスタードを付けていただきます。

643 kcal

材料［2人分］

鶏もも肉 … 2枚
セロリ … 2本
ニンジン … 1本
タマネギ … 1個
ジャガイモ … 2個
ニンニク … 1片

水 … 1ℓ
顆粒鶏スープの素 … 小さじ2
クローブ（ホール・あれば）… 2～3個

塩・コショウ・粒マスタード … 各適量

作り方

1. 鶏肉は半分に切る。セロリは10㎝のぶつ切り、ニンジンは皮をむいて縦半分に切る。タマネギは1/4に切ってバラバラにならないよう楊枝を刺す。**ジャガイモは**皮をむく。

2. 鍋に1とニンニク、水、顆粒鶏スープの素、**あればクローブを入れて**強火にかけ、煮立ったらあくをとり、コトコト煮立つくらいの弱火で30分煮る。

3. 具材が十分にやわらかくなったら器に盛り、塩、コショウ、粒マスタードでいただく。

ホクホクの男爵、ねっとりのメークイン。種類は好みで

クローブの香りは肉料理と相性抜群。刺激が強いので、食べる前に取り除いて

魚は切り身の焼きレシピを、いろいろ覚えておくと便利。

魚料理ってむずかしそう、と
思っている方が結構多いようです。
確かに、まるごとの魚を3枚におろすのは、
少し技術と慣れが必要だし、手間もかかりますよね。
でも、切り身の魚なら、
調理のハードルはぐっと下がります。
扱いの簡単さは肉と同じくらい。
シンプルな塩焼きはもちろん、
バターソテーや香辛料を使った変わり焼きなど、
焼き魚のレパートリーを増やすと、
日々のメニューの幅が広がります。
肉に比べてヘルシーなのもうれしいですね。

身から焼くと
皮が反らないため
崩れにくく、
皮から焼くと皮が
パリッと仕上がる。

サバのカレー粉焼き

新鮮な魚ほど、皮から焼くと皮が反って身が崩れてしまいます。
身から焼くほうが失敗がありません。
280 kcal

材料［2人分］

サバ半身 … 1枚
水菜 … 1株
プチトマト … 3個
ニンニク薄切り
… 1片分

塩・コショウ … 各少々
カレー粉 … 小さじ1
小麦粉 … 大さじ2
オリーブオイル
… 大さじ1
しょうゆ … 小さじ1
ポン酢 … 少々

レモン … 適量
塩・黒コショウ（好みで）
… 各少々

**サバを
焼いている間に
ニンニクが
焦げそうになったら、
先に取り出しておく**

作り方

1. サバ半身を半分に切り、塩、コショウ、カレー粉をまぶし、最後に小麦粉をまぶす。水菜は根を切り落とし、ざく切りにする。プチトマトはヘタをとり、半分に切る。

2. ニンニクとオリーブオイルをフライパンに入れて中火で熱し、香りがたってきたらサバを入れ、**片面2分くらいずつ**、身のほうからこんがりと焼く。

3. しょうゆを振り、両面にからめて取り出す。

4. 器に盛った水菜とプチトマトにはポン酢をかける。サバにはレモンを絞り、好みでさらに塩・黒コショウを振っていただく。

鮭サクのバターソテー

魚のソテーは、小麦粉をまぶして焼くとカリッと香ばしく仕上がります。
41ページのタマネギマヨネーズがここでも活躍。

450 kcal

材料［2人分］

鮭（刺身用）… 1サク
ジャガイモ … 2個
トマト … 1個

塩・コショウ … 各少々
小麦粉 … 大さじ2
バター … 大さじ2
タマネギマヨネーズ
（41ページ参照）… 大さじ2

パセリみじん切り … 少々
レモン … 適量

作り方

1. 鮭は半分に切り、両面に塩・コショウを振り、小麦粉をまぶす。ジャガイモは洗って濡れたままラップに包み、レンジ強（500w）で8分加熱し、熱いうちに皮をむいて四つに切る。トマトはヘタをとり、横半分に切る。

2. フライパンにバター大さじ1を入れて中火で溶かし、ジャガイモを焦げ目が付くまで焼き、取り出す。トマトを入れ、両面を1分ずつくらい焼いて取り出す。

3. 2のフライパンにバター大さじ1を足し、鮭を入れて**溶けたバターをかけながら**、両面に焦げ目が付くまでこんがりと焼く。

身がパサつかず
しっとり焼きあがる

4. 器にジャガイモ、トマト、鮭を盛り、ジャガイモとトマトには塩・コショウ（分量外）を振る。鮭にはタマネギマヨネーズをかけ、パセリを振り、レモンを添える。

刺身用のサクも上手に使って

刺身用に売っているサクも焼き魚に便利。骨がないので食べやすく、生食用なので火の通りに神経質になる必要がありません。大きめのサクを買ったら、1日目はお刺身で食べて、次の日はソテーに、というのもいいですね。

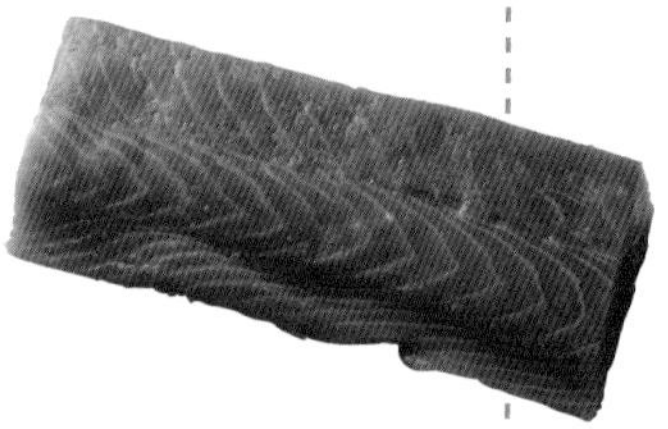

カジキマグロのゆずこしょう焼き

ゆずこしょうのさわやかな辛さと風味がおいしい一品。
ブリやタラを使ってもおいしくできます。
168 kcal

材料［2人分］

カジキマグロの切り身 … 2切れ
キュウリ … 1/2本

酒粕酒（130ページ参照）
… 大さじ1
ゆずこしょう … 小さじ1/2

昆布佃煮…適量

作り方

1. ポリ袋の中で酒粕酒とゆずこしょうをもんで混ぜ、カジキマグロを入れてまぶし、15分以上おく。
2. キュウリは薄い輪切りにし、塩少々（分量外）を振って、しんなりしたら軽く水気を絞る。
3. グリルでカジキマグロをこんがりと焼き、2、昆布佃煮と共に器に盛る。

タラのパン粉焼き

まぶして焼くのではなく「ハーブパン粉」をかけていただく簡単パン粉焼き。生のタイムがなければ、乾燥の好みのハーブで大丈夫。

315 kcal

材料［２人分］

タラの切り身 … ２切れ
エリンギ … ２本

塩・コショウ … 各少々
小麦粉 … 大さじ２
オリーブオイル … 大さじ３

〈ハーブパン粉〉
生パン粉 … 1/2カップ
ニンニクすりおろし … １片分
タイムみじん切り … 小さじ1/3
塩 … 小さじ1/4
コショウ…少々

レモン … 適量
塩・黒コショウ … 各少々

作り方

1. タラは両面に塩・コショウを振り、小麦粉をまぶす。エリンギは長さを半分に切って薄切りにする。ハーブパン粉の材料を混ぜておく。

2. フライパンにオリーブオイル大さじ１を中火で熱し、エリンギを炒める。しんなりしたら取り出す。

3. フライパンにオリーブオイル大さじ２を足し、ハーブパン粉の材料を入れて、きつね色になるまで混ぜながら炒め、取り出す。

4. フライパンにタラを入れ、中火で両面に焼き色が付くまで焼く。

5. 器にエリンギとタラを盛り、タラの上にハーブパン粉をかけ、レモンを添える。エリンギには塩・黒コショウを振る。

ブリのみそ漬け焼き

酒粕と同量の酒を合わせた「酒粕酒」を作っておくと、魚や肉を漬けるのに重宝します。冷蔵庫で1年くらい保存できるので、多めに作って。

294 kcal

材料［2人分］

ブリの切り身 … 2切れ

酒粕酒 … 大さじ1
みそ … 大さじ1

〈付け合わせ〉
カイワレ菜 … 1/2パック
かつおぶし … 2g
しょうゆ … 少々

前の晩からまぶしておくと、味がしみてプリプリな食感に

作り方

1. ポリ袋の中で酒粕酒とみそをもんで混ぜ、ブリを入れてまぶし、**30分以上おく**。
2. カイワレ菜は根を切り落としてざく切りにし、かつおぶしとしょうゆで和える。
3. ブリをグリルで焦げ目が付くまで焼き、カイワレ菜と共に器に盛る。

酒粕酒＋調味料でまろやか漬け

酒粕酒は酒粕と酒を1：1で混ぜたもの。これにいろいろな調味料を混ぜることで、みそやしょうゆなどの調味料だけで肉や魚を漬けるよりもまろやかに仕上がります。128ページのゆずこしょう、このページで紹介したみそ以外に、塩や、しょうゆを混ぜても。

酒粕酒
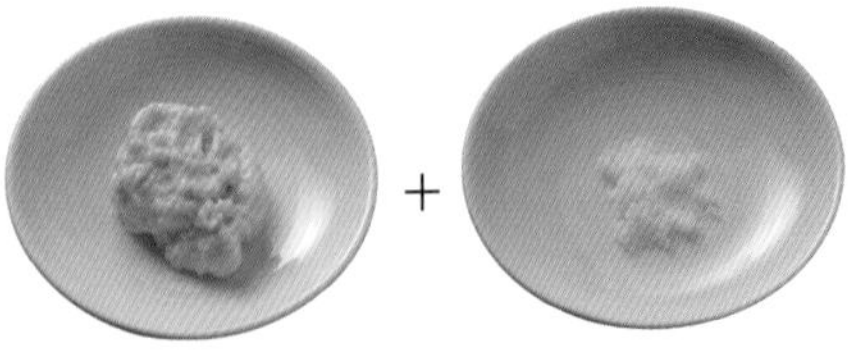
塩

酒粕酒
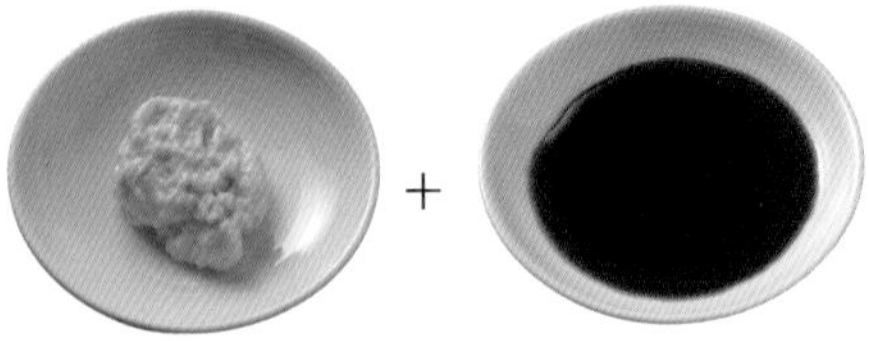
しょうゆ

イワシの手開きは背骨に沿って親指でしごき、よく洗う。

イワシは昔から「七度洗えばタイの味」と、
言われているのを知っていますか？
これは価格の安いイワシも丁寧に
下処理をすれば、高級なタイと同じくらい
おいしい、という意味。
イワシは手で開けるので、
包丁で3枚におろす大きな魚よりも
ずっと簡単。ぜひチャレンジしてください。
イワシの手開きのコツは、
背骨のところに血がたまっているので、
とにかくここをしごいてよく洗うこと。
細くてこまかい腹骨の部分は
切り落としてしまえばラクちんです。

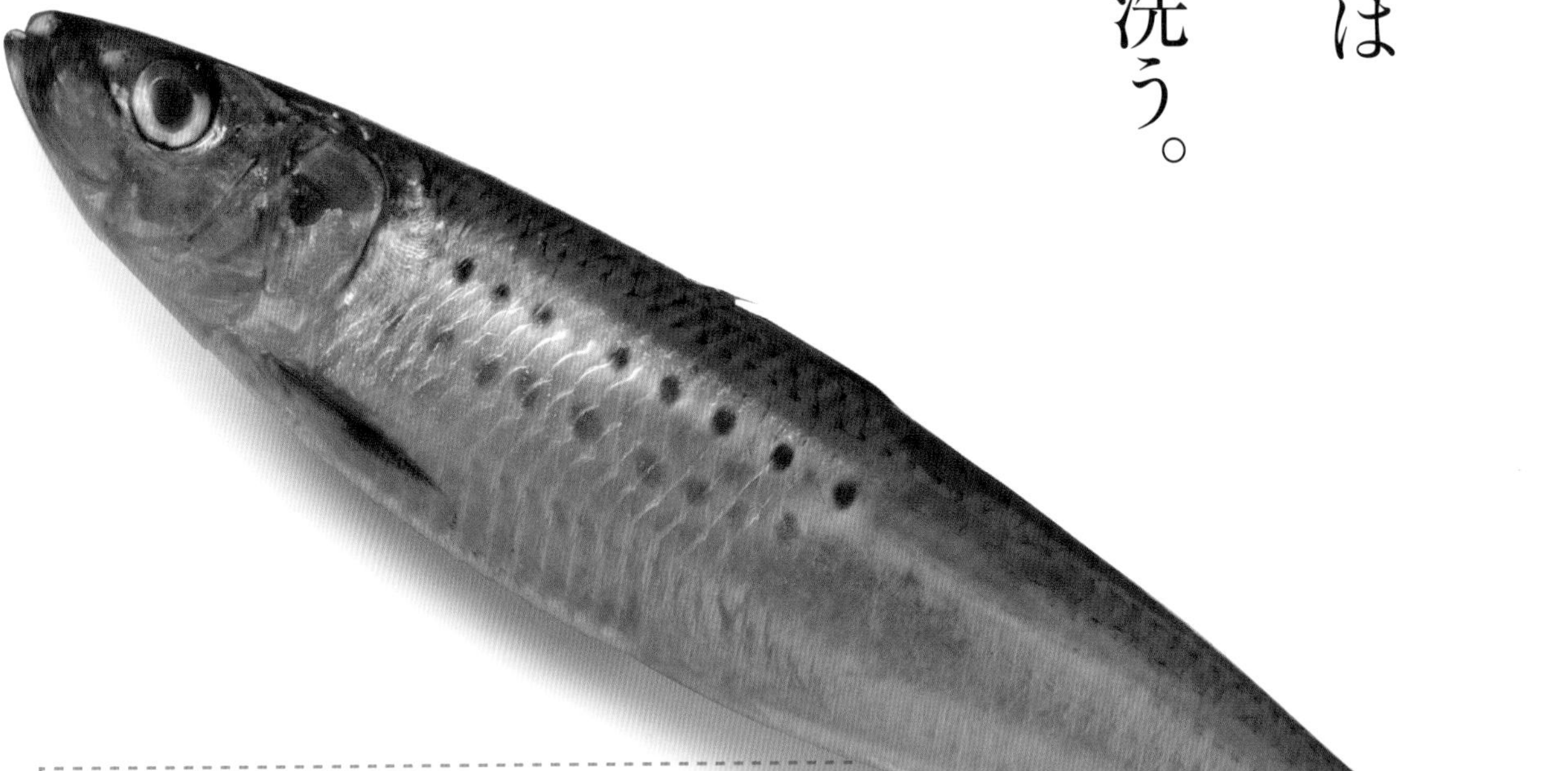

イワシは酒を振って保存する

イワシは傷みやすいので、その日に使わない分は、手開きしてから酒を振って保存しましょう。魚は内臓から傷むので、このほうが丸のまま保存するよりも日持ちします。保存期間は冷蔵庫で3日くらい。

イワシの手開き

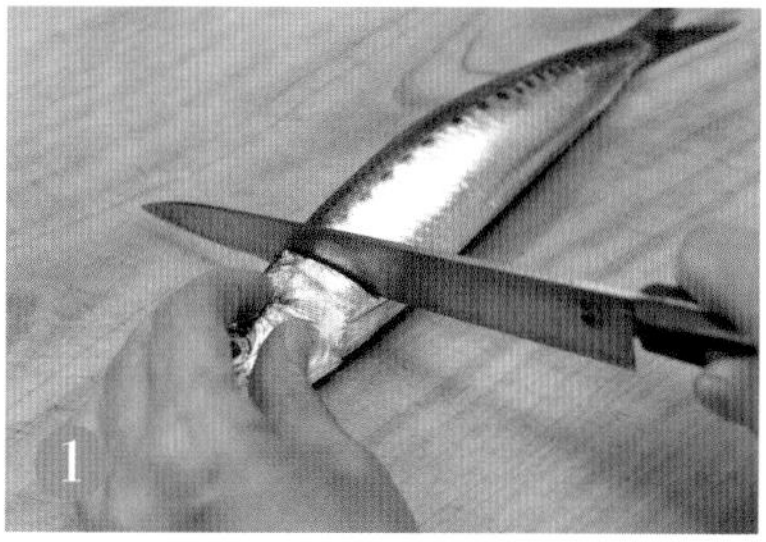

頭を切り落とす。

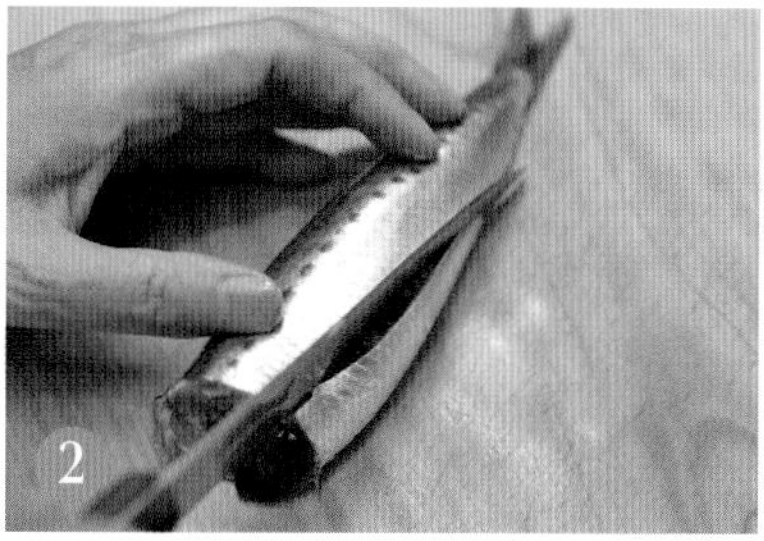

腹骨と内臓のある部分を斜めに切り落とす。

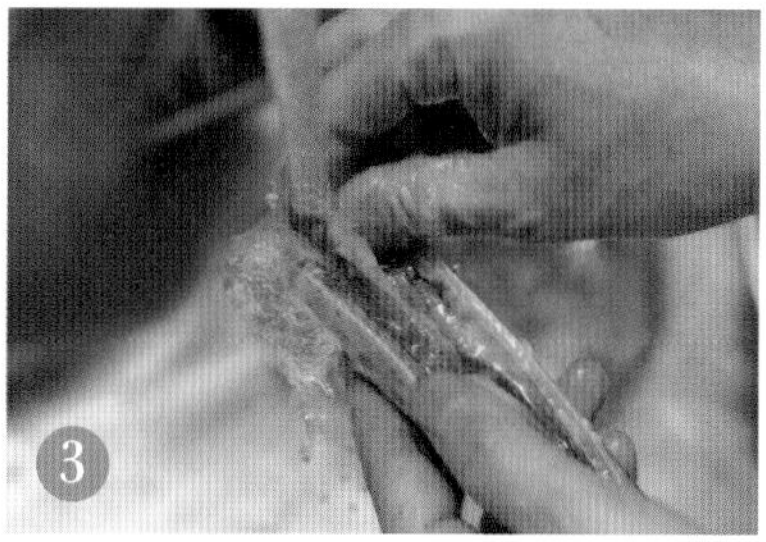

背骨の部分を親指でしごき、流水でよく洗う。

左右に開く。

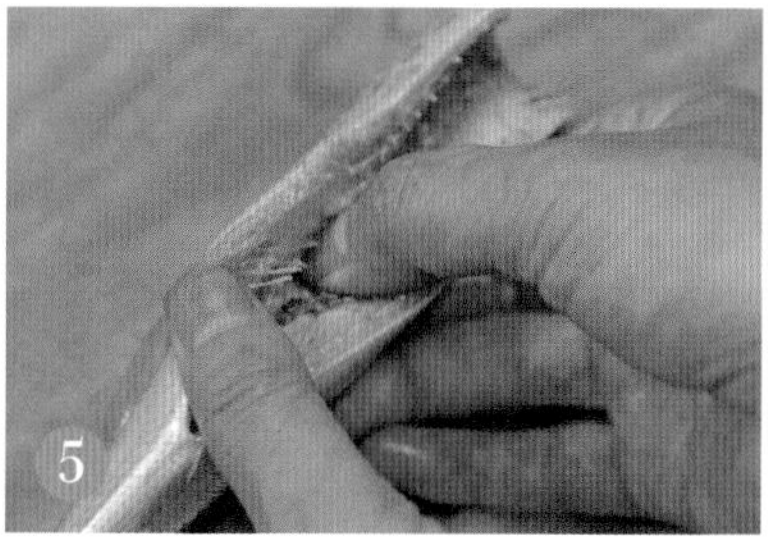

真ん中あたりの背骨と身の間に親指を入れ、背骨から指を離さないようにして、頭まで指を滑らせる。

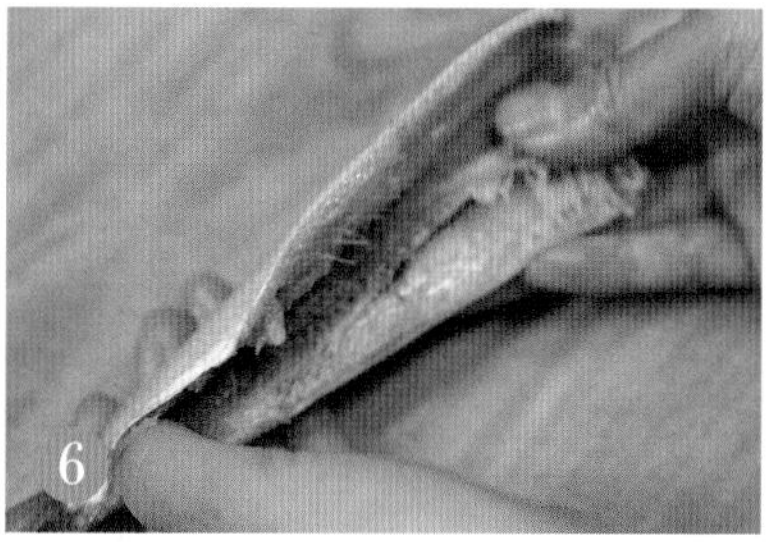

次にもう一方の親指を尾まで滑らせて、骨と身を離す。

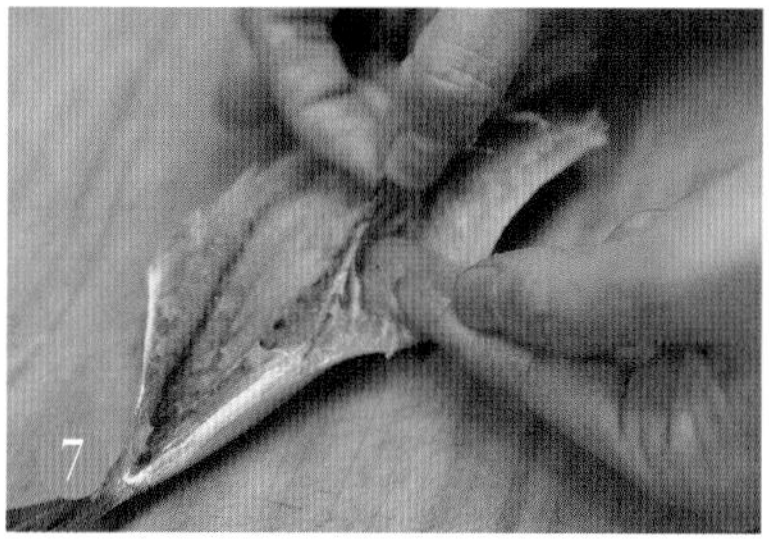

同様にもう片面も身と骨を離し、骨を外す。

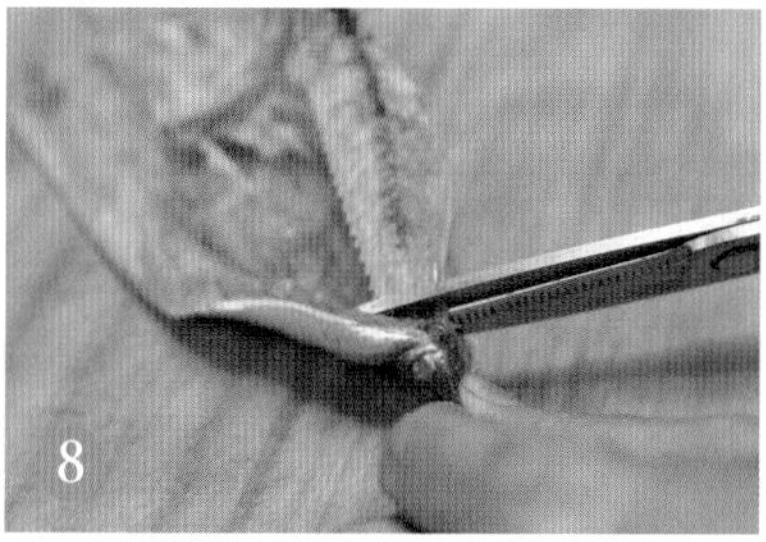

尾のところをハサミで切り、骨を切り離す。

イワシのなめろう

新鮮なイワシが手に入ったら、まずは生で味わいましょう。
まな板の上で身をたたきながら薬味とみそを混ぜ込む漁師料理。
186 kcal

材料［2人分］

イワシ（新鮮なもの）… 2尾
長ネギみじん切り … 8㎝分
ショウガみじん切り … 大さじ1
大葉せん切り … 2枚分

みそ … 小さじ2

作り方

1. 手開きしたイワシは尾を切り落として頭のほうから尾に向かって皮をむき、細かく切る。
2. まな板の上でイワシの身をまとめ、長ネギ、ショウガ、みそをのせて、**包丁でたたきながらよく混ぜる**。
3. 器に盛り、大葉をのせる。

広がってきたら
まとめる、を
繰り返して
全体にみそを
いきわたらせる

イワシの
イタリア風ソテー

オリーブオイルでこんがり焼いて、イタリア風に。
ニンニクの香りが食欲をそそります。

382 kcal

材料［2人分］

イワシ … 4尾
ニンニクみじん切り … 1片分

コショウ … 少々
オリーブオイル … 小さじ2
しょうゆ … 小さじ1

クレソン（あれば）… 適量
レモン … 適量

作り方

1. イワシは手開きにし、両面にコショウを振る。
2. フライパンにオリーブオイル、ニンニクを入れて弱火で熱し、香りがたったら中火にしてイワシを入れる。
3. 両面に焦げ目が付くまで焼き、しょうゆを振りかける。
4. あればクレソンと共に器に盛り、レモンを絞っていただく。

イワシの南蛮漬け

新鮮なイワシがたくさん手に入ったら、南蛮漬けにもチャレンジ。
ちなみにこの漬け汁に市販のから揚げを漬ければ、即席の南蛮漬けに。
511 kcal

材料［２人分］

イワシ … 4尾
タマネギ … 1/2個

しょうゆ … 小さじ2
小麦粉 … 適量
揚げ油…適量

〈漬け汁〉
酢 … 100cc
水 … 100cc
砂糖 … 大さじ3
しょうゆ … 大さじ1
赤唐辛子輪切り（好みで）
… 少々

作り方

1. イワシは手開きにし、尾の部分を切り落として、一口大に切る。しょうゆをかけてまぶし、小麦粉をまぶす。

2. ボウルに漬け汁の材料、薄切りにしたタマネギ、好みで赤唐辛子を入れる。

3. 揚げ油を170℃に熱し、イワシをきつね色になるまで揚げる。

4. **揚げたイワシを漬け汁に漬け**、30分くらいおいてからいただく。

揚げたイワシは、
アツアツのまま漬け汁に漬ける

豆アジを使う場合

南蛮漬けには小さな豆アジを使っても。
豆アジの場合は尾から頭に向かって表面にある
かたい部分、「ぜいご」をとると口当たりがいい。

頭を斜めに切り落とす。

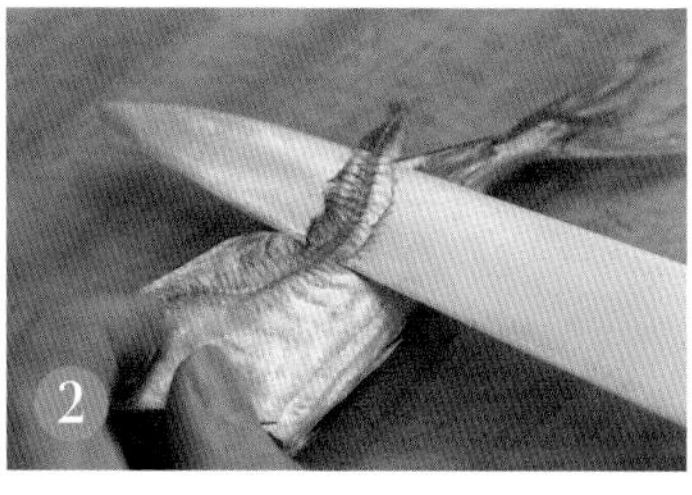

ぜいごをとる。

内臓をとってよく洗う。

イカはさっと火を通すか、じっくり煮るか。

イカをやわらかく料理するには、さっと火を通すか、じっくり煮るかのどちらかで。中途半端はいけません。イカがかたくなってしまう前に仕上げるか、やわらかくなるまで時間をかけて煮るか、どちらかの調理法を選びましょう。

139ページのように半生にゆでておくと、和え物や炒め物にさっと使えて便利です。

生で食べられるくらい新鮮なイカなら、煮物のときワタもいっしょに煮ると旨みが増します。

足や耳もおいしいので、上手に使いましょう。

熱湯に入れ、
半生の状態で引き上げ
冷水にとる。

半生イカ

イカと里芋の煮物（141ページ）

半生イカのネギ塩和え

半生イカは
一度熱湯で殺菌しているので、
生よりも日持ちがします。
保存期間は冷蔵庫で５日ほど。
89 kcal

材料［２人分］

生イカ … 1/2杯
（１杯をさばき、半量を使う）
長ネギ … 15㎝
ニンニクすりおろし … 少々

ゴマ油 … 小さじ1.5
塩 … 小さじ1/4弱
コショウ … 少々
コチュジャン（好みで）… 少々

作り方

1. イカは腹の中に指を入れて胴と足を離し、足を引き抜く。胴の中の軟骨をはずし、冷水で洗う。足の吸盤は親指でしごいてとる。

2. 鍋にたっぷりの湯をわかし、1%の塩（分量外／湯１ℓに対し10g）を入れ、イカを入れてふっくらふくらんだら（138ページ写真参照）冷水にとり、水気をきる。

3. 胴は短冊に切り、足は食べやすく切る。

4. 長ネギは斜め薄切りにし、ニンニク、ゴマ油、塩、コショウで和えて、しんなりするまで５分以上おく。

5. 3と4を和えて器に盛り、好みでコチュジャンを添える。

イカとトマトのさっと炒め

半生イカを使う場合は、イカがあたたまればOK。
生のイカなら、色が白く変わったらできあがり。
242 kcal

材料［2人分］

半生イカ（生でもよい）… 1杯
トマト … 1/2個
タマネギ薄切り … 1/4個分
ニンニクみじん切り … 1片分
赤唐辛子輪切り … 少々
バジル … 1枝

オリーブオイル … 大さじ2
塩 … 小さじ1/3
コショウ … 少々

包丁で切ると
黒ずんでしまうので
手でちぎって

作り方

1. 半生イカは胴を輪切り、足はぶつ切りにする。生イカの場合は下処理をして（139ページ参照）、同様に切る。トマトは2cm角に切る。
2. フライパンにオリーブオイルを中火で熱し、タマネギ、ニンニク、赤唐辛子を入れて、タマネギがしんなりするまで焦がさないように炒める。
3. イカ、トマトを入れ、塩・コショウを振って炒め合わせる。
4. トマトが少し崩れた感じになったら**バジルをちぎって散らし**、ひと混ぜしてできあがり。

イカと里イモの煮物

しょうゆを入れてしまうとやわらかくなりにくいので、
まずは砂糖だけでじっくり煮て、甘みをしっかりしみ込ませます。
294 kcal

材料［2人分］

生イカ … 1杯
里イモ … 600g（大きめ6個）

砂糖 … 大さじ1.5
しょうゆ … 大さじ3

作り方

1. イカは下処理をして（139ページ参照）、胴は輪切り、足はぶつ切りにする。里イモは皮をむき、1.5㎝の厚さに半月に切る。
2. 鍋にイカと里イモ、砂糖を入れ、かぶるくらいの水を入れて中火にかける。
3. 煮立ったらあくをとり、イカと里イモがやわらかくなるまで煮て、しょうゆを加える。
4. 煮汁が鍋底から3㎝になるまで煮て（138ページ参照）火を止め、5分ほどおいて煮汁をしみ込ませる。

アサリは3%の塩水につけて暗く静かなところに置く。

アサリの砂抜きをするとき、
どれくらいの塩を水に入れてますか？
これ、塩の量の足りない人が、
けっこう多いんです。砂抜きをするときの
塩の濃度は3%。これはだいたい海水と
同じくらいのしょっぱさです。
かなりしょっぱいことがわかりますよね。
アサリは夜行性なので、暗く静かな
ところに置いたほうが砂をよく吐きます。
砂といっしょに水も吐き出すので、
周りがびしゃびしゃにならないようふたをして。
空気が通らないのでラップは厳禁。
ふたも少しずらしておきましょう。

水の量は
アサリ全体が
ひたる程度で、
1時間ほどおく。

空気が入るよう、
ボウルとふたの間に
菜箸をはさんで。

アサリの白ワイン蒸し

アサリ自体に塩気があるので、塩味はいりません。アサリの旨みがしみ出したスープがおいしいので、パンにつけて食べても。

39 kcal

材料［2人分］

アサリ … 250g
白ワイン … 50cc

バター … 大さじ1/2
コショウ … 少々

万能ネギ小口切り（好みで）… 少々

作り方

1. アサリはひたひたの量の3%の塩水に入れて1時間ほどおき、砂を吐かせる。アサリの殻をこすり合わせるようにして洗う。

2. フライパンにアサリと白ワインを入れ、ふたをして中火にかけ、アサリの口が開くまで煮る。

3. バターを落とし、コショウを振り、好みで万能ネギを散らす。

アサリ・ネギ・ショウガの小鍋

ショウガをたっぷりきかせて、アサリの旨みを味わいます。
ショウガは貝と相性がいいので、
シジミのみそ汁などに入れても。

40 kcal

材料［2人分］

アサリ … 250g
長ネギ … 1本
ショウガせん切り … 薄切り6枚分

だし汁 … 600cc
薄口しょうゆ … 大さじ1

作り方

1. アサリは砂抜きをして洗い（143ページ参照）、長ネギは5㎜幅の斜め切りにする。
2. 鍋に、アサリ、ネギ、ショウガ、だし汁を入れて中火にかけ、アサリの口が開くまで煮る。
3. あくをとり、**味をみながら薄口しょうゆで調味する**。

アサリの
塩分があるので、
味をみつつ
調整して

アサリそうめん

アサリの旨みでいただく、あたたかいそうめん。
アサリから出るだしを活かして、味付けは薄めに。

410 kcal

材料［2人分］

アサリ … 150g
そうめん … 4把（200g）

めんつゆ（3倍濃縮タイプ）… 大さじ2
水 … 600cc

ショウガすりおろし … 少々
長ネギ小口切り … 少々

作り方

1. アサリは砂抜きをして洗い（143ページ参照）、そうめんはたっぷりの湯でゆでて、ゆで汁をきる。
2. 鍋にアサリ、めんつゆ、水を入れて中火で煮立て、アサリの口が開くまで煮てあくをとる。
3. 器にそうめんを入れ、2をかけ、ショウガ、長ネギをのせる。

そうめんは透明になったらゆであがりのサイン。あたたかくして食べる場合は少しかためにゆでて。

台所道具のはなし 6

ふた

底が平らな木のふたは、均一に力が伝わります。厚みもあるので熱が伝わりにくく、手が熱くなりません。

上から左周りで木の鍋ぶた、アルミ製のふた大小、電子レンジOKのプラスチックのふた大小。ふた専用のラックにまとめて置いています。

木のふたはオムレツやお好み焼きを返してフライパンに戻すときも、平らなので滑らせやすく簡単。

木のふたは、ふたとして以外にも活躍します

持っていなければ、ぜひ買って欲しいのが木の鍋ぶた。普通に鍋のふたとして使う以外に落としぶたに使ったり、平らなのでチキンソテーを焼くときに鶏肉を押さえる(31ページ参照)、オムレツを返す(157ページ参照)など、大活躍します。100均ショップでも売ってますが、長く使うなら反りづらい、正目のものを買いましょう。大きさ違いで2種類くらいあると便利です。

すべての鍋がふたをして使えるよう、アルミ製のふたは大きさを何種類か用意して。電子レンジOKのプラスチックのふたもぜひ。ラップをかける手間がいらず、やわらかいものをチンするときも、つぶさずふんわり加熱できます。

身近過ぎて気付かなかった

卵をごちそうにするコツ

リーズナブルでどんな食材とも相性よし。
卵を味方につければ、毎日のごはんがもっと充実。

ゆで卵は熱湯からゆでる。

ゆで卵を思い通りの加減にゆでるなら、いつも条件を同じにすることが必要です。水からゆでると鍋の大きさや、水の量によって沸騰するまでの時間が違います。また、冷蔵庫から出して常温に戻してからゆでようとすると、室温によって温度もまちまちに。だから卵をゆでるときは、冷蔵庫から出したての卵を、熱湯から入れましょう。卵のおしり（丸いほう）に画びょうで1カ所穴をあけておくと割れづらく、殻の中に湯が入るのでむきやすくなります、水の中で殻をむくと、ツルンときれいに。

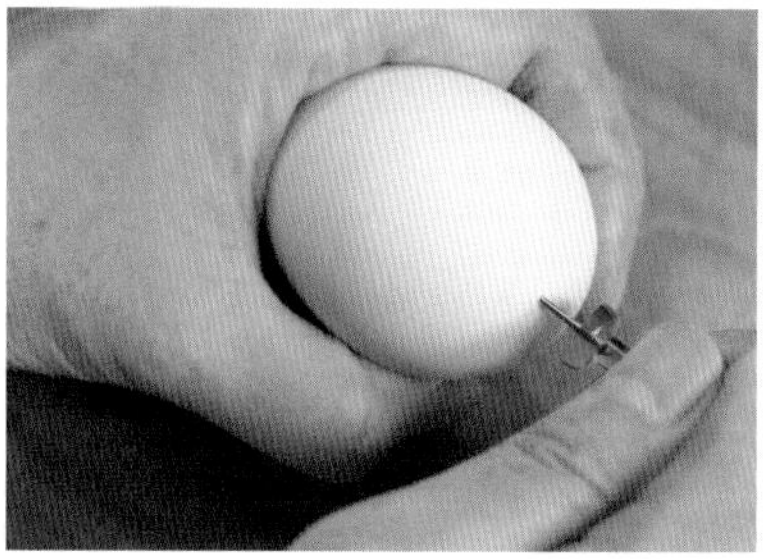

画びょうで穴をあける。画びょうはワインのコルクなどに刺しておくと、引き出しにしまいやすい。

ゆで卵

とろとろから固ゆでまで、ゆで具合はお好みで。
4分の「ごくとろゆで」は、殻がむきづらいので
スプーンですくって食べても。
76 kcal（1個分）

材料
卵 … 必要なだけ
水 … 適量

作り方

1. 卵の殻の丸いほうに、画びょうで1カ所穴をあける。
2. 鍋に湯をわかし、おたまなどで静かに卵を入れる。強めの中火にして菜箸で30秒くらいゆっくり転がす。
3. 既定の時間ゆでて冷水にとり、水の中で殻をむく。

ゆで時間とゆで具合

4分

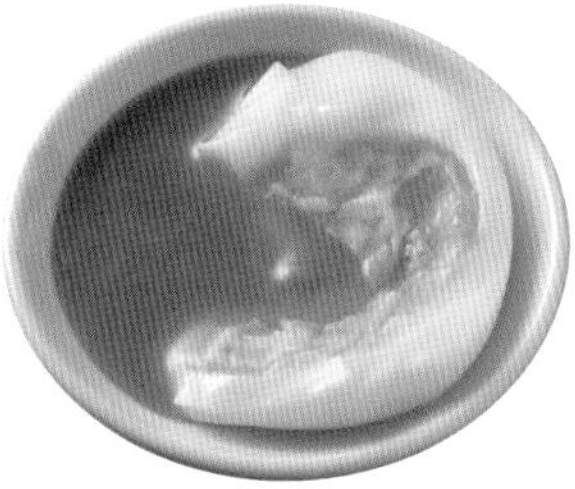

ごくとろゆで

6分

とろとろゆで

8〜10分

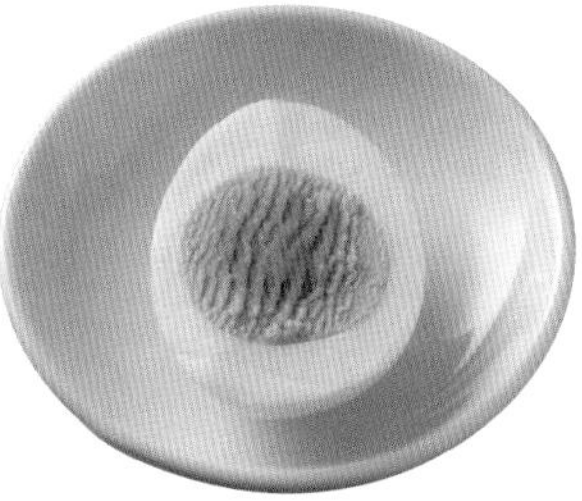

半熟ゆで

11分

固ゆで

ほったらかしのイレギュラーゆで卵

水からゆでて沸騰したら火を止め、そのまま冷ますと、白身はやわらかめ、黄味はしっとりオレンジ色のイレギュラーゆで卵ができます。ほったらかしでいいので、忙しいときに便利。

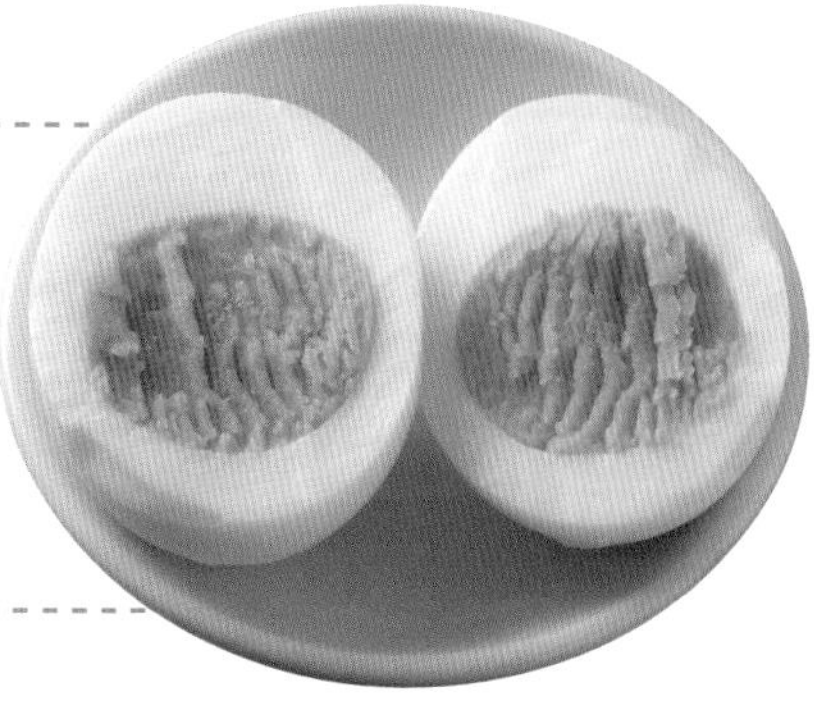

ごくとろゆで卵のっけご飯

卵かけご飯よりも、黄味が濃厚な味わいに。
コクが出るので粉チーズはぜひ！
337 kcal

材料［1人分］

卵 … 1個
ご飯 … 1杯

粉チーズ … 小さじ1
黒コショウ … 少々
しょうゆ … 少々

作り方

1. 卵は熱湯から入れて4分ゆで、ごくとろゆで卵を作る。
2. ゆで卵の殻をむいて熱々のご飯にのせ、粉チーズ、黒コショウを振り、しょうゆをかけて、卵を崩していただく。

卵サンド

卵サンドのあの味は、固ゆで卵でないとできません。
好きなだけ、たっぷりとサンドできるのが自分で作るよいところ。
629 kcal

材料［作りやすい分量］

卵 … 2個
サンドイッチ用のパン … 4枚

マヨネーズ … 大さじ2
塩 … 小さじ1/3
コショウ（好みで）… 少々
ゆでブロッコリー（あれば）… 適量

ラップで包み、ラップごと包丁で切ると、形が崩れない

作り方

1. 卵は熱湯から入れて11分ゆで、固ゆで卵を作る。殻をむき、白身をみじん切りにする。
2. ボウルに白身、黄味、マヨネーズ、塩、好みでコショウを入れ、黄味を崩しながら混ぜる。
3. 食パンにたっぷりはさみ、**食べやすい大きさに切る**。あればブロッコリーを添える。

オムレツは バターが溶けきらないうちに、卵を投入。

オムレツって、卵料理の中では
ごちそう感のかなり高いメニュー。
朝ごはんにバターの香りがふんわり
漂うオムレツが出てくると、
とっても贅沢な気持ちになります。
オムレツをおいしく作るコツは、
バターがすべて溶けきらないうちに
卵を投入すること。
まだ少しかたまりがあるうちに卵を入れて、
生のバターを卵の中に混ぜ込みます。
茶色い焦がしバターもおいしいですが、
オムレツのやさしい味には、
生のバターの風味を活かして。

バターが半分
溶けたくらいの
この状態で
卵を投入。

バターを卵で
包み込むように
大きく混ぜて。

プレーンオムレツ

家で食べるオムレツなら、大切なのは形よりも焼け具合。
キレイにまとめようとして焼き過ぎないように注意。
221 kcal

材料［1人分］

卵 … 2個

牛乳 … 大さじ1
塩・コショウ … 各少々
バター … 小さじ2

パセリみじん切り（あれば）… 少々
黒コショウ（好みで）… 少々

ある程度まとめたら、フライ返しでそっと返して。

作り方

1. ボウルに卵を割りほぐし、牛乳、塩、コショウを入れて混ぜる。
2. フライパンにバターを入れて中火で熱し、半分くらい溶けたら卵を流し入れる。
3. 卵でバターを包み込むようにゆっくり大きくかき混ぜ、半熟になったら片側に寄せてまとめ、フライ返しで返す。
4. 器に盛り、あればパセリを散らし、好みで黒コショウを振る。

トマトとタマネギの具入りオムレツ

トマトは炒めると甘くなるので、先に炒めてから卵を入れます。
好みで卵を割りほぐすときにピザ用チーズを加えても。
160 kcal

材料［２人分］

卵 … 3個
トマト … 1/2個
タマネギみじん切り … 大さじ3

牛乳 … 大さじ1
塩・コショウ … 各少々
バター … 小さじ2

黒コショウ（好みで）… 少々
パセリ（あれば）… 少々

作り方

1. ボウルに卵を割りほぐし、牛乳、塩、コショウを入れて混ぜる。トマトは1.5㎝角に切る。

2. フライパンにバターを入れて中火で熱し、タマネギを透き通るまで炒め、トマトを加えて軽く炒める。

3. 強火にして卵を流し入れ、ゆっくり大きくかき混ぜる。半熟になったら片側に寄せてまとめ、フライ返しで返す。

4. 器に盛って、好みで黒コショウを振り、あればパセリを飾る。

昭和のオムレツ

私が子供のころのオムレツと言えば、この薄く焼いた卵に具をはさみ込んだものでした。ソースをかけていただく懐かしい味。
391 kcal

材料［作りやすい分量］

〈卵液〉
卵 … 2個
牛乳 … 小さじ2
塩・コショウ … 各少々

〈具〉
合いびき肉 … 50g
タマネギみじん切り … 1/4個分(40g)
ニンジンみじん切り … 2㎝分
塩・コショウ … 各少々
小麦粉 … 小さじ1
水 … 大さじ3

バター … 大さじ1/2
サラダ油 … 少々
ソース … 適量

作り方

1. ボウルに卵を割りほぐし、牛乳、塩、コショウを入れて混ぜる。
2. フライパンにバターを入れて中火で熱し、タマネギ、ニンジンを入れてタマネギが透き通るまで炒める。ひき肉を加えぱらぱらになるように色が変わるまで炒める。
3. 塩・コショウ、小麦粉を加えて炒め合わせ、粉っぽさがなくなったら水を入れてとろみがつくまで煮て取り出す。
4. フライパンを中火で熱し、サラダ油を薄くひいて卵液を流し入れ、全体に広げる。
5. 半熟になったら、取り出しておいた具をのせ、半分にたたむ。器に盛り、ソースをかけていただく。

スパニッシュオムレツ

具だくさんでボリュームのあるスパニッシュオムレツは、
みんなで切り分けて食べるのがおススメ。
921 kcal

材料［作りやすい分量］

〈卵液〉
卵 … 4個
牛乳 … 大さじ2
塩・コショウ … 各少々
ピザ用チーズ … 50g

ジャガイモ … 1個(150g)
ウインナーソーセージ … 2本
タマネギみじん切り … 1/4個分(40g)
パセリみじん切り … 大さじ2

オリーブオイル(好みでバターでも)… 大さじ1.5

作り方

1. ボウルに卵を割りほぐし、牛乳、塩、コショウ、チーズを入れて混ぜる。
2. ジャガイモは洗って濡れたままラップに包み、レンジ強(500w)で4分加熱し、熱いうちに皮をむいて1.5㎝角に切る。ソーセージは小口切りにする。
3. フライパンにオリーブオイルを入れて中火で熱し、タマネギとソーセージを炒める。
4. タマネギが透き通ったらジャガイモを加えて軽く炒め、卵液とパセリを入れてゆっくり大きくかき混ぜる。
5. 半熟になったらそのまま弱火で1分焼き、鍋ぶたを使って裏返し、さらに1分焼く。器に盛り、食べやすく切る。

大きなものも簡単に返せる「鍋ぶた返し」

鍋ぶたでスパニッシュオムレツを上から押さえてフライパンを逆さにし、鍋ぶたにのったオムレツを滑らせてフライパンに戻すと、失敗なく裏返せます。オムレツを滑らせやすく形が崩れない、平らな木の鍋ぶたがおススメ。チヂミやお好み焼きもこの方法で。

卵とじは 卵を混ぜ過ぎない。

どんな具材もやさしくまとめて、
ボリュームアップしてくれる
調理法、卵とじ。
卵とじをおいしく作るコツは、
卵を混ぜ過ぎないこと。
混ぜ過ぎると卵にコシがなくなり、
汁を吸ってふにゃふにゃになってしまいます。
卵を割ったら、黄味を崩して、
白身を3カ所くらい菜箸で切る程度。
これくらいだと黄味と白身があまり
混ざらず、食べる場所によって、
違った味や食感が楽しめます。
ふたをしないと卵が固まりにくいので、
卵を入れたら必ずふたをして。

黄味と白身の
部分が分かれた、
これくらいの
状態で。

卵どんぶり

家にいつもある材料でパパッと作れる卵どんぶり。
天かすを入れるとおいしさとボリュームがアップ。
522 kcal

どんぶりものの卵とじは、
滑らせてご飯にのせやすい
フライパンを使って

材料［1人分］

卵 … 2個
タマネギ … 1/4個
天かす … 大さじ3

めんつゆ（3倍濃縮タイプ）
… 大さじ1.5
水 … 75cc

ご飯 … 適量
万能ネギ小口切り（あれば）
… 適量

作り方

1. タマネギは5㎜幅に切る。**小さめのフライパンに**めんつゆ、水、タマネギを入れて中火で煮立て、煮立ったら弱火にしてタマネギが透き通るまで煮る。

2. 天かすを入れ、軽く割りほぐした卵を流し入れる。

3. ふたをして、卵が好みの煮え加減になるまで煮て、汁ごとご飯にのせる。あれば万能ネギを散らす。

ゴボウと鶏肉の柳川

ゴボウからもとってもよいだしが出る、おいしい卵とじ。
好みで一味唐辛子や山椒をピリリときかせても。
256 kcal

材料［2人分］

卵 … 2個
ゴボウ（細いもの）… 1本（100g）
鶏もも肉 … 1/2枚

めんつゆ（3倍濃縮タイプ）
… 大さじ3
水 … 200cc

作り方

1. ゴボウはタワシでこすって洗い、ピーラーを使ってささがきにする。鶏肉は1cm幅に切る。
2. 鍋にゴボウ、鶏肉、めんつゆ、水を入れて中火で煮立て、煮立ったら弱火にして鶏肉に火が通るまで5分くらい煮る。
3. 卵を軽く割りほぐして流し入れ、ふたをして、卵が好みの煮え加減になるまで煮る。

豆腐の卵とじ

豆腐を卵でとじた、やさしい味の一品。
豆腐には甘い味付けも合うので、好みで砂糖を加えて。
249 kcal

材料［2人分］

木綿豆腐 … 1丁
長ネギ … 1本
油揚げ … 1/2枚
卵 … 2個

めんつゆ（3倍濃縮タイプ）
… 大さじ3
水 … 200cc
砂糖（好みで）…小さじ1

作り方

1. 豆腐は2㎝厚さの5㎝角に切る。長ネギは斜め薄切りにする。油揚げは紙タオルにはさんで強く押し、余分な油をとって短冊切りにする。
2. 鍋に1、めんつゆ、水、好みで砂糖を入れて中火で煮立て、煮立ったら弱火にして5分煮る。
3. 卵を軽く割りほぐして流し入れ、ふたをして、卵が好みの煮え加減になるまで煮る。

厚焼き卵は思い切って菜箸を刺して巻いていく。

菜箸で刺した穴は
焼きあがれば
見えなくなるので
思い切ってぐっさりと。

キレイに焼けた厚焼き卵は、
ふだんのおかずにはもちろん、
おもてなしの料理や
お弁当で華のある一品になります。
厚焼き卵は時間との勝負。
もたもたしていると卵の表面が
乾いてしまい、巻いても卵同士が
くっついてくれません。
巻いた部分が太くなってくると、
どんどん巻きづらくなり、
時間がかかってしまいがち。
ある程度の太さになったら、
思い切って菜箸を突き刺し、
手早く巻いていきましょう。
普通の厚焼き卵が
うまく巻けるようになったら、
難易度の高い
だし巻き卵にもチャレンジ。

甘い卵焼き

みんな大好き、あまーい卵焼き。
じつはお酒にもよく合います。
96 kcal

材料［２人分］

卵 … ２個

砂糖 … 小さじ２
塩 … 少々
サラダ油 … 少々

小さくたたんだ
紙タオルで全体に広げ、
次はその紙タオルが
吸ったサラダ油を塗る

作り方

1. ボウルに卵を割りほぐし、砂糖、塩を入れて混ぜる。卵焼き器を中火で熱し、**サラダ油を薄くひく**。

2. 卵液の1/3を流し入れて広げ、表面が乾ききる前に、向こう側から手前に巻く。

3. 焼いた卵を向こう側に寄せ、空いた部分にサラダ油を塗り、残りの半分の卵液を流し入れ、広げる。このとき焼いた卵を菜箸で持ち上げ、卵の下にも卵液を流す。

4. 表面が乾ききる前に、先に焼いた卵を芯にして巻く。同様にして残りの卵液を流し入れて焼き、取り出して切り分け、器に盛る。

明太子入り卵焼き

明太子を芯にした、厚焼き卵バリエーション。
明太子のピンクと卵の黄色で、彩りもきれい。
100 kcal

材料［2人分］

卵 … 2個
長ネギ小口切り
… 10㎝分
薄皮をとった明太子
… 大さじ2

塩 … 少々
サラダ油 … 少々

大根おろし … 大さじ2
しょうゆ … 少々

作り方

1. 卵焼き器にサラダ油を中火で熱し、長ネギをしんなりするまで炒め、取り出す。ボウルに卵を割りほぐし、塩と炒めた長ネギを入れて混ぜる。
2. 卵焼き器を中火で熱して紙タオルで残っている油をふき、1の卵液の1/3を流し入れる。
3. 半熟になったら明太子を向こう側の端から1㎝くらいのところに細く置き、明太子を芯にして向こう側から卵を巻く。163ページ同様に残りの卵液を焼いていく。
4. 切り分けて器に盛り、大根おろしを添えてしょうゆをかける。

だし巻き卵

やわらかいので少し難易度が
上がりますが、菜箸で刺せば大丈夫。
だしがじゅわっとしみ出す
そのおいしさは格別。ぜひ挑戦して。
128 kcal

材料［2人分］

卵 … 3個

だし汁 … 60cc
薄口しょうゆ … 小さじ1/2
塩 … 小さじ1/4
サラダ油 … 少々

大根おろし … 大さじ2
しょうゆ … 少々

作り方

卵液を入れたときにじゅっと
音がするくらい熱して

1. 卵を割りほぐし、塩、薄口しょうゆを入れてよく混ぜ、だし汁を加えてのばす。
2. 卵焼き器を**強めの中火で熱して**サラダ油を薄くひき、卵液を4～5回に分け、163ページ同様に焼いていく。
3. 巻きすで形を整え、**切り分けて**器に盛る。大根おろしを添え、大根おろしにしょうゆをかける。

やわらかいので
パン切り包丁を使うと
うまく切れる

だし巻き卵は強めの中火で

だし巻き卵を焼くときは、普通の厚焼き卵を焼くときよりも火を強めにして焼きましょう。そうすると中のだしが沸騰し、卵がスポンジ状になって、だしをしっかりと抱き込みます。冷めてもだしが出てきません。

台所道具のはなし 7

小さな道具

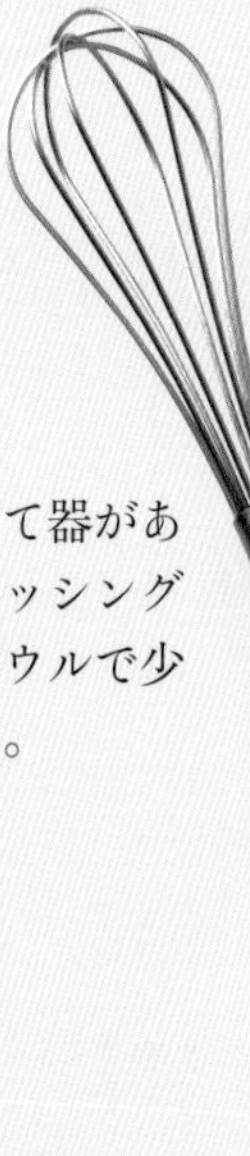

小さな泡だて器があると、ドレッシングを小さなボウルで少量作れます。

フライパンの中で動かしやすいのも、小さなフライ返しのよいところ。

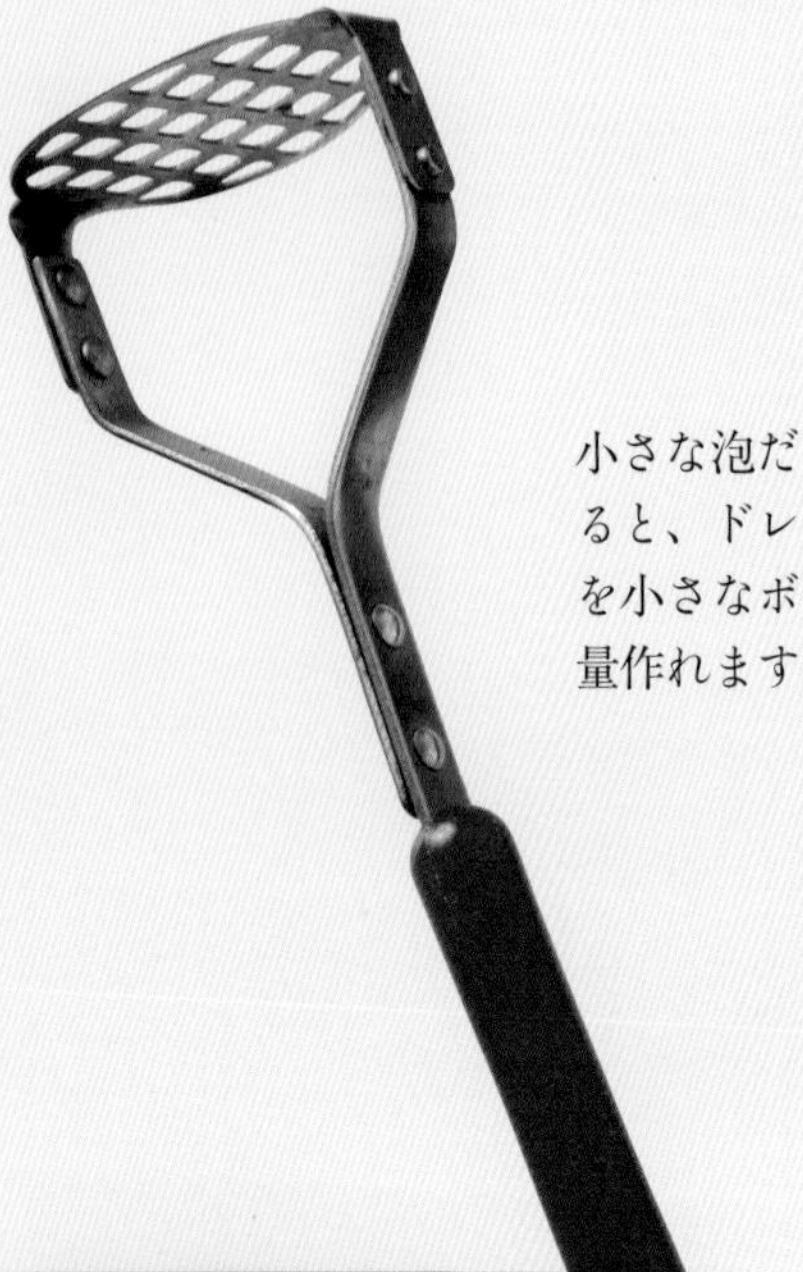

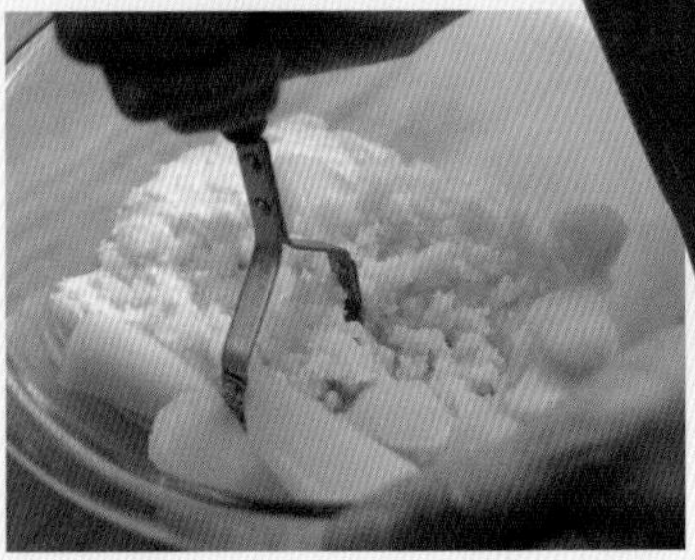

ジャガイモ二つまでなら、小さなマッシャーのほうが、ボウルの中で使いやすいのです。

おろし器は下に器が付いているものが、そのまま食卓に置けて便利。

とっても使いやすい小さな道具たち

今はこうした小さな調理道具もよく見かけるようになりましたが、かつては１００均ショップでしか売っていなかったので、これを探しにショップを回っていたことがありました。この小さな道具たち、じつはとっても使いやすいんです。

小さなフライ返しは、手との距離が近く扱いやすいので、ハンバーグなどを返したりするときに、失敗がありません。小さなマッシャーは、ポテトサラダ用のジャガイモをつぶしたり、卵サンド用の卵をつぶすときに。ドレッシングを混ぜるには小さな泡だて器がベストです。また、下に容器のついた小さなおろし器は、ショウガやニンニクをすりおろすのに重宝します。もう一つ買い足すときにはぜひ、小さなものを。

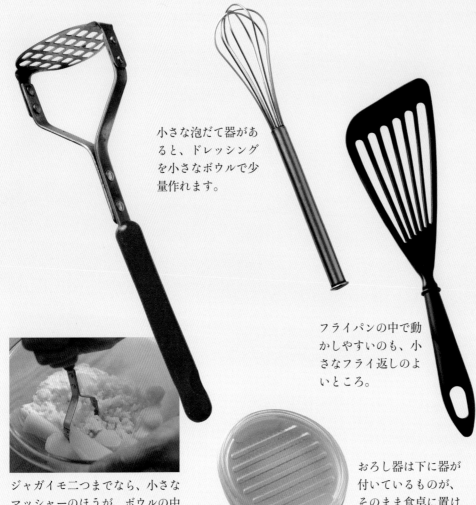

こんな味わい方もある

豆腐と油揚げ、厚揚げを活用するコツ

和・洋・中、さまざまな調味料や食材と
しっかり寄り添う豆腐の実力を活かしきる。

豆腐の水切りは紙タオルの上に置くくらいで十分。

豆腐の水切り、どうしてますか？
私は他の材料を用意している間、
たたんだ紙タオルの上に
置いておくだけです。
これくらいの水切り具合だと
水分が抜け過ぎることがないので
冷やっこものどごしがいいし、
豆腐ハンバーグは中がしっとり。
炒め物もこれで十分で、
チャンプルーの豆腐も
中がとろとろに仕上がります。
まわりの水分が気になるときには、
紙タオルでやさしく押さえて。

まな板の上に
紙タオルを
たたんで敷き、
その上に豆腐を
置きます。

豆腐ゴーヤチャンプルー

おいしく作るには
豆腐にしっかり焼き色を付けること。
ゴーヤはじっくり炒めると
苦みがソフトになります。
242 kcal

材料［2人分］

木綿豆腐 … 1/2丁
ゴーヤ … 1/2本（小さめなら1本）
ウインナーソーセージ … 2本
卵 … 2個

ゴマ油 … 大さじ1
塩 … 小さじ2/3
顆粒鶏スープの素 … 小さじ1/4
コショウ … 少々

作り方

1. 豆腐は紙タオルの上にのせて5分ほどおき、水をきる。ゴーヤは縦半分に切ってスプーンでワタと種をとり、5㎜厚さに切る。ソーセージは斜め薄切りにする。卵は割りほぐす。

2. フライパンにゴマ油を中火で熱し、豆腐を入れ、上下と横の面に焼き色が付くまで焼く。豆腐を焼きながら、フライパンの空いている場所でゴーヤとソーセージをしんなりするまで炒める。

3. 豆腐に焼き色が付いたら、へらで崩してゴーヤ、ソーセージを炒め合わせる。

4. 塩、顆粒鶏スープの素、コショウで調味し、卵を加えて全体を炒め合わせる。

豆腐は大きなまま焼いたほうが、
焼き色を付けるときに返す手間が
少なくてラク。後から崩すので、
返すときに崩れても気にしないで。

冷やっこタレ3種

冷やっこに使う豆腐も紙タオルの上に置いて自然にしたたる水をとるとタレの味が薄まりません。薬味じょうゆは、ゆでた肉や魚、冷やしトマトやそうめんにもよく合います。保存期間は冷蔵庫で1カ月。

216 kcal（豆腐1丁分）

材料［作りやすい分量］

豆腐
（絹・木綿は好みで）
…1丁

〈薬味じょうゆ〉 74 kcal
長ネギみじん切り … 1/2本分
キュウリ5㎜角切り … 1/2本分
セロリ5㎜角切り … 1/2本分
ショウガみじん切り … 大さじ2
ミョウガみじん切り…1個分
しょうゆ … 適量

作り方

1. 薬味じょうゆの具を容器に入れ、ひたひたよりやや少なめのしょうゆを注ぎ、30分おく。
2. 豆腐は紙タオルにのせて5分ほどおき、水をきる。
3. 豆腐を食べやすい大きさに切って器に移し、薬味じょうゆをたっぷりかける。

〈ネギ塩ダレ〉 191 kcal
長ネギ斜め薄切り1本分、塩小さじ1、ゴマ油大さじ1～2を混ぜて、長ネギがしんなりするまで10分くらいおく。

〈おかかじょうゆ〉 69 kcal
長ネギ小口切り10㎝分、ショウガみじん切り大さじ1、かつおぶし5g、しょうゆ50ccを混ぜる。

豆腐ハンバーグ

豆腐の水気をきり過ぎないことで、ハンバーグがしっとりふわふわに。
このハンバーグには和風のソースがよく合います。
カロリーが抑えられるのもうれしいところ。

358 kcal

材料［２人分］

木綿豆腐 … 1/4丁
合いびき肉 … 200g
タマネギみじん切り … 1/2個分(100g)

塩・コショウ … 少々
片栗粉 … 大さじ２
サラダ油 … 小さじ１

サニーレタス … ６枚
プチトマト … ２個
大根おろし … １カップ
ポン酢 … 適量

作り方

1. 豆腐は紙タオルにのせて５分ほどおき、水をきる。

2. ボウルに豆腐、ひき肉、タマネギ、塩・コショウ、片栗粉を入れて、豆腐を崩しながらよく混ぜる。４等分して薄い円盤状にする。

3. フライパンにサラダ油を中火で熱し、ハンバーグを並べる。片面に焼き色が付いたら裏返し、ふたをして２～３分焼く。

4. ハンバーグの中央がふっくら盛り上がったら取り出し、ちぎったサニーレタス、四つ割りにしたプチトマトと共に器に盛る。大根おろしの水気を軽くきってハンバーグにのせ、ポン酢をかける。

湯豆腐の昆布は鍋の底が見えなくなるくらい、贅沢に使う。

湯豆腐は単なる熱々の豆腐ではありません。
昆布の味のしみたおいしい豆腐、
それが「おとなのごちそう」、湯豆腐。
これを作るには鍋の底を覆うくらい、
贅沢に昆布を使いましょう。
昆布をケチっては、おいしい湯豆腐になりません。
もう一つのコツはグラグラ煮立てないこと。
食べごろは豆腐がゆらゆらっと
揺れてから2〜3分。
ふるっふるの食べごろを逃さないためには、
鍋の前を離れないで。
豆腐を食べ終えたら残ったおいしいだしで
雑炊やうどんがいただけます。

大きな昆布がない場合は、小さい昆布を何枚か。

豆腐に“す”が入ってしまうので、グラグラ煮立たせないように。

湯豆腐

「昆布をたくさん」「煮立たせない」この二つを守るだけで、
これまでの湯豆腐のイメージを覆す、極上の一品に。
252 kcal

材料［2人分］

豆腐（絹・木綿は好みで）… 2丁
だし昆布 … 10㎝角1枚
水 … 適量
おかかじょうゆ（170ページ参照）
… 適量

作り方

1. 鍋にだし昆布と水を入れ、昆布が十分大きくなるまで1時間くらいおく。
2. 豆腐は食べやすい大きさに切り、1の鍋に入れて中火にかける。
3. 煮立つ直前に弱火にし、豆腐がゆらゆらとしてから2～3分煮る。
4. おかかじょうゆと煮汁を合わせて好みの濃さのタレを作り、あたたまった豆腐を入れていただく。

油揚げ、厚揚げの油は紙タオルで押さえる。

油揚げや厚揚げの油抜き、
熱湯をかけても油が湯をはじいてしまい、
ほとんど効果はありません。
それに最近の商品は、昔と違い油の質が
よくなって、油臭くないので
そんなに神経質にならなくても大丈夫。
紙タオルで押さえて余分な油をとるだけで、
十分おいしくいただけます。
油揚げや厚揚げは和食の食材という
イメージがありますが、和洋中、
工夫次第でいろいろな料理に使えます。
油で揚げてあり食べ応えがあるので、
お肉の代わりに使っても。

油揚げは
紙タオルではさんで、
しっかり押す。

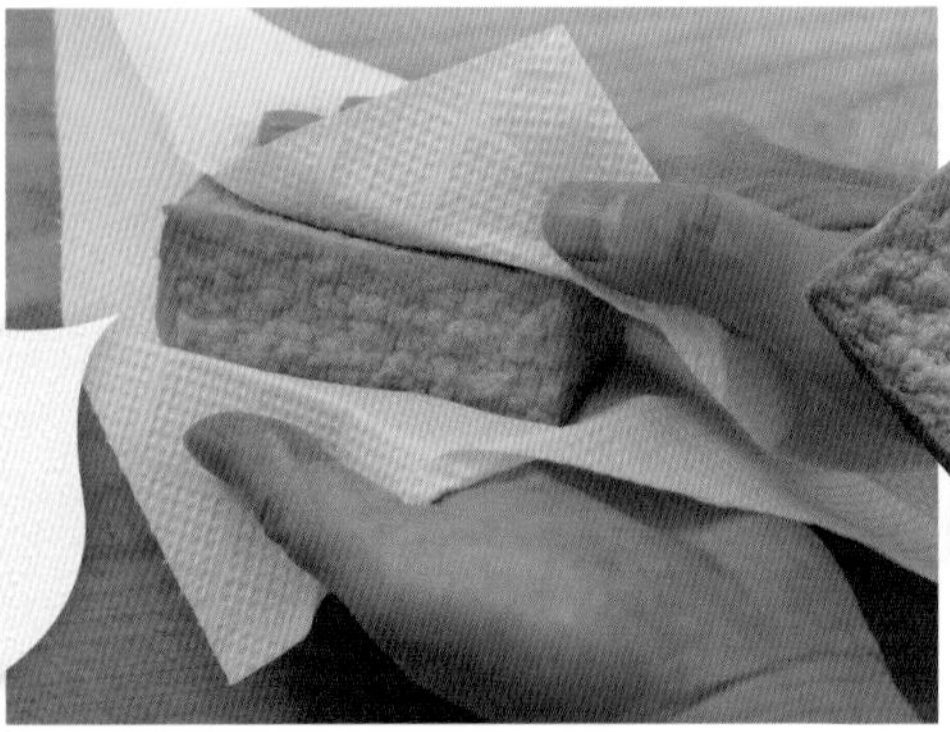

厚揚げは
つぶれないよう、
紙タオルで
やさしく押さえる。

油揚げの
タマネギたっぷりピザ

おいしく作るコツは、これ以上のらない、というくらい、
タマネギをどっさりのせること。
289 kcal

材料［1枚分］

油揚げ … 1枚
タマネギみじん切り
… 小さめ1/2個分（70g）
サクラエビ … 大さじ3
ピザ用チーズ … 30g

しょうゆ … 少々
黒コショウ … 少々

作り方

1. 油揚げは紙タオルにはさんで強く押し、余分な油をとる。
2. 油揚げにしょうゆを塗り、タマネギ、サクラエビ、チーズの順にのせ、オーブントースター（700w）で焦げ目が付くまで10分ほど焼く。食べやすい大きさに切って、黒コショウを振る。

油揚げドライカレー

お肉の代わりに油揚げを使った、ヘルシーカレー。
ちょっと和風な味わいがクセになるおいしさです。
543 kcal

水を入れずに
炒めただけだと、
油揚げがやわらかくならない

材料［2人分］

油揚げ粗みじん切り … 1枚分
タマネギみじん切り … 1/2個分
ピーマンみじん切り … 1個分
シイタケみじん切り … 大1個分
卵 … 2個

サラダ油 … 大さじ1.5
カレー粉 … 小さじ2
しょうゆ … 大さじ2
砂糖 … 大さじ1
水 … 100cc

ご飯 … 適量
福神漬け … 適量

作り方

1. フライパンにサラダ油大さじ1を中火で熱し、油揚げ、タマネギ、ピーマン、シイタケを入れ、焦がさないように3分炒める。
2. カレー粉を加えて混ぜ、全体にカレー粉がいきわたったら、しょうゆ、砂糖、**水を入れ**、弱火にして水気がなくなるまで煮る。
3. 別のフライパンにサラダ油大さじ1/2を入れ、卵を割り入れて、好みのかたさの目玉焼きを作る。
4. 器にご飯を盛り、カレーをかけ、目玉焼きをのせて福神漬けを添える。

厚揚げとセリの豆乳スープ

すりゴマをたっぷり入れた、やさしい味のスープ。
セリの食感とショウガの香りがよいアクセントに。
308 kcal

材料［2人分］

絹厚揚げ … 1枚
セリ … 1把
ショウガすりおろし … 大さじ1

だし汁 … 400cc
白すりゴマ … 大さじ4
薄口しょうゆ … 大さじ2
豆乳 … 300cc

作り方

1. 厚揚げは紙タオルでやさしく押さえて余分な油をとり、一口大に切る。セリは根を切り落とし、ざく切りにする。
2. 鍋に豆乳以外の材料をすべて入れ、中火で煮立てる。
3. 2分くらい煮たら豆乳を加え、煮立ったらできあがり。

厚揚げと豚ひき肉のオイスターソース煮

この料理を一言で言えば、辛くない麻婆豆腐。
厚揚げを使うことで、コクとボリュームが増します。
436 kcal

材料［2人分］

絹厚揚げ … 2枚
長ネギ … 1/2本
豚ひき肉 … 70g
ショウガせん切り … 薄切り3枚分
ニンニクみじん切り … 小さじ1

サラダ油 … 小さじ2
オイスターソース … 大さじ1
しょうゆ … 大さじ1
水 … 200cc
水溶き片栗粉 … 片栗粉小さじ1+水小さじ2

作り方

1. 厚揚げは紙タオルでやさしく押さえて余分な油をとり、一口大に切る。長ネギは斜め薄切りにする。

2. フライパンにサラダ油を中火で熱し、豚ひき肉を**パラパラになるまでよく炒める**。

3. 長ネギ、ショウガ、ニンニクを加えて炒め合わせ、オイスターソース、しょうゆ、水を入れて煮立て、厚揚げを入れる。

4. 3分ほど煮てから、水溶き片栗粉でとろみをつける。

**焦げ目が
付くくらいよく炒めると、
肉の臭みが消えて香ばしく**

材料をムダにせず
おいしく食べたいから。

食品保存のこと

モノによっては冷蔵庫に入れるより
常温で保存したほうが日持ちします

冷蔵庫に入れたほうが安心と、なんでも
冷蔵庫に入れてしまっていませんか？
野菜類はモノによっては、
冷蔵庫よりも常温で保存したほうが
日持ちするものが少なくありません。
それぞれに合った保存場所、保存の方法を
知っておくと、せっかくの食材を
ムダにすることなく、おいしく食べきれます。
常温で保存する調味料類や、頻繁に使う乾物は
使いやすい容器に入れて並べておくと
料理がスムーズにできます。
容器は密閉できればなんでもOK。
中身が見える透明容器が便利です。

透明容器なら、
探すのが簡単。
残量もひと目で
わかります。

常温で保存

キャベツは明るいところに置いたほうが長持ち

キャベツは冬なら暗い冷蔵庫よりも、外に置いたほうが長持ちします。水分が蒸発しないよう、ラップで包むかビニール袋に入れ、直射日光の当たらないところで保存しましょう。夏場は野菜室で。

クレソンはパックから出してコップなどに移して

クレソンやカイワレ菜は、買ったときのパックのままだと、蒸れて傷みが早くなります。なるべく早くパックから出して、クレソンは水をたっぷり入れたコップなどに移しましょう。カイワレ菜はスポンジを湿らせる程度の水の量で。

ネギは乾燥しないように新聞紙に包む

ネギはビニールの中だと蒸れてしまい、そのままだと乾燥してしまうので、新聞紙で包んでおきます。直射日光を避け、涼しい場所に立てて保存します。切ったり横にすると鮮度が落ちやすくなります。

里イモは土を洗い落とし乾燥させて保存

里イモを保存するときは、タワシできれいに洗って土を落とし、乾燥させてから保存しましょう。土には雑菌が多く、そのままだと里イモが傷む原因になってしまいます。洗って、よく乾かしておけば、2週間程度日持ちします。

タマネギはビニール袋から出して

タマネギを購入時のビニール袋に入れたままにしておくと、蒸れてカビが生えてしまいます。袋から出して、直射日光の当たらない、風通しのよい場所で保存しましょう。新タマネギは傷みやすいので、なるべく早く使いきって。

寒さに弱いキュウリは常温で保存

夏野菜のキュウリは、寒さが苦手。冷蔵庫に入れるとすぐにしんなりしてしまうので、夏以外は常温で保存します。冷蔵庫に入れる場合は比較的温度の高いドアポケットに立てて保存しましょう。

冷蔵庫で保存

冷蔵庫は見えやすく使いやすく保存する

冷蔵庫にはついついたくさんのものを詰め込みがち。

忘れずにちゃんと使いきるためには、透明な保存容器を使い、中を見えやすくすることが必要です。

中が見えないと入れたことを忘れ、使う機会を逃してしまいます。

早く使いきりたいものはなるべく手前に、上段や棚の奥にはすぐに使わないもの、長期保存できるものを。

普段から余分な買い物をせず、冷蔵庫を満杯にしないのも大事なことです。

見える化が大事！

米はペットボトルに入れて野菜室やドアポケットに

昔に比べて、新米の時期でなくてもおいしいお米がいただけるようになりました。収穫から出荷までしっかりと温度や湿度が管理されているため、一番保存期間が長くなる夏の終わりでも、あまり味が落ちなくなっています。

　せっかくよい状態で保存されたお米を買っても、家での保存状態が悪かったら意味がありません。お米の味には温度が最も影響するので、私はペットボトルに移して、冷蔵庫のドアポケットか野菜室で保存しています。残量がわかりやすく、計量カップにも移しやすいのでおススメです。

葉ものは買ったときの袋にそのまま入れるのもいい

野菜の中でも傷みやすいのが、ほうれん草や小松菜などの葉もの野菜。「濡れた新聞紙に包んで」といった保存方法もよく紹介されていますが、スーパーで売られている葉もの野菜が入っている袋は野菜を長持ちさせる機能があるので、購入時の袋のまま冷蔵庫に入れるのをおススメします。いったん口を開けたものはクリップなどで留めて保存しましょう。葉もの野菜は土に生えていたときと同じ状態にしたほうが長持ちするので、野菜室の手前に立てて保存すると場所もとらず日持ちがします。

ジャガイモは冷蔵庫に入れておくと芽が出にくい

ジャガイモの芽にはソラニンやチャコニンといった天然毒素が含まれています。もちろん取り除けば食べられますが、できれば芽を出さずにおきたいもの。低温だと芽が出にくいので、春から夏にかけては冷蔵庫で保存します。また土には雑菌が多いので、冷蔵庫内の他の食材のためにも、里イモ同様一度洗って乾燥させてから保存しましょう。

肉や魚はラベルがついたラップに包んでチルド室へ

肉や魚は空気に触れたところから傷むので、トレーから出してラップでぴっちりと包んで保存したほうが日持ちします。このとき新しいラップを使わず、購入時にラベルが貼られたラップを使って包むと、消費期限がわかって便利です。魚の切り身や刺身、薄切り肉やひき肉など、小さく切られているものほど傷みやすいので、なるべく早く使いきりましょう。

香味野菜は密閉容器に入れ替える

ニンニク、大葉、ショウガなどの香味野菜は、袋のままだと蒸れて傷みやすくなるので、適度な湿度が保てるよう密閉容器に入れ替えて保存します。このときも見つけやすいよう透明容器で。ニンニクは皮をむいておくとカビが生えにくくなります。

みそ、しょうゆなど発酵が進むものは冷蔵を

みそやしょうゆは発酵食品なので、常温だと発酵が進んで味が変わってしまいます。最後までおいしく使いきるために、冷蔵庫で保存しましょう。

冷凍庫で保存

冷凍庫を〝物置き〟にしないために、出してすぐ使えるものを冷凍します

冷凍庫の奥から、
「これ、いつの何?」
というものが出てくること、
ありませんか？　冷凍庫を
そんな〝物置き〟にしないために、
私は肉や魚など、解凍しないと
調理できないものは、
ほとんど冷凍しません。
冷凍をおススメしたいのは、
冷凍庫から出してすぐに使えるもの。
あるいは解凍すれば
そのまま食べられるもの。
たとえばご飯や麺などの炭水化物、
野菜類やキノコ、魚介なら
しらすやアサリなど。
乾物も乾燥したり匂い移りが
しないよう、冷凍用の保存袋に
入れて冷凍しましょう。

乾物も、しけたり香りが変わらないよう、使いかけのものは冷凍庫に

私は冷凍庫を、乾物を入れる物入れとしても使っています。だしをとるのに必要な昆布や煮干し、それに青のりや粉チーズ、七味唐辛子なども。こうした乾物は、常温で保存するとしけやすく、また香りや味も変わってしまいます。

一度封を開けたものは、冷凍庫での保存がおススメです。密閉容器や保存用の袋に入れて冷凍庫のドアポケットなどで保存します。保存できる期間が長く、あると重宝する乾物。上手に保存しておいしく使いきりましょう。

しらす

2～3日で食べきれない分は保存容器に入れて冷凍します。解凍するときは食べる分だけを取り出して熱湯をかけると、釜揚げしらすのようにふっくらした味わいに。

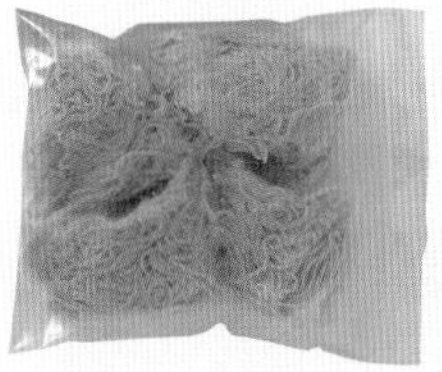

生めん

保存期間が短い生めんも即冷凍。1食分ずつ取り出しやすいように軽く割って、冷凍します。冷凍庫から出してそのままゆでられますが、ゆで時間を多少長めにして。

ごはん・パン

ごはんは長く保温するより、炊きたてを冷凍したほうがおいしくいただけます。パンは冷凍庫から出してそのまま焼いて大丈夫。1食分ずつラップに包んで保存します。

刻んだ油揚げ

油揚げは刻んでから冷凍しておくと、みそ汁や煮物に、好きな分だけ取り出して使えるのでとっても便利。解凍せず、そのまま鍋に入れて大丈夫です。

たらこ・明太子

1本ずつラップで包んでから保存袋に入れて冷凍。解凍するときは常温に出して。解凍後一度に使いきれない場合はマヨネーズと混ぜておくと日持ちします。

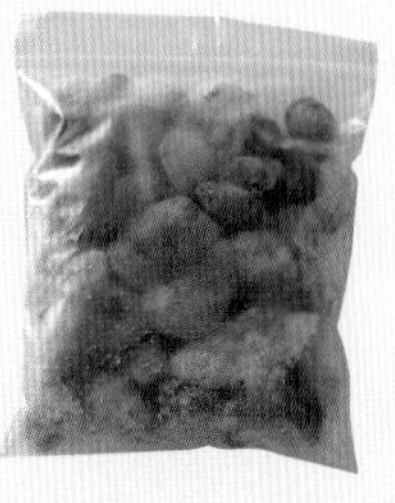

砂抜きしたアサリ

アサリを冷凍するときは、まず砂抜きをして、貝をキレイに洗ってから。こうして冷凍すると、調理するときに鍋やフライパンにそのまま入れられて手間いらず。

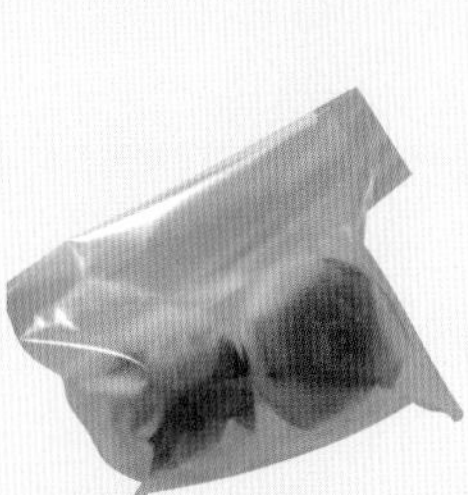

熟れ過ぎトマト

トマトが熟れ過ぎてしまったら、まるごと冷凍してしまいましょう。カレーやビーフシチューなどの煮込み料理に、冷凍庫から出して凍ったまま鍋に入れて使えます。

ミックスきのこ

きのこ類はほぐしてそのまま冷凍。1種類でももちろんOKですが、シメジやエリンギ、シイタケなど、数種類のきのこをミックスしておいても使い勝手がよく便利です。

ザク切り大根の葉

葉つきの大根が買えたら、塩ゆでしてからざく切りにして冷凍します。煮物や焼き物に青味として添えたり、混ぜご飯の具にしたりと重宝します。

素材別さくいん

野菜

イモ

肉

豆腐・大豆製品

乾物・缶詰・塩蔵品・その他

米・めん・パン

著者　瀬尾幸子（せお・ゆきこ）

料理研究家。得意なメニューは「外食では食べられない、ちゃちゃっと作ってホッとできる」家ごはん。そして、「何だか飲みたくなる、おつまみにもおかずにもなる」一品。自身の体験から編み出したそんなレシピ集『一人ぶんから作れるラクうまごはん』、続く『もっとラクうまごはん』（いずれも小社刊）が支持をうけ、“ラクうま”のコツの部分をていねいに紹介する家ごはんの集大成、この３冊目を作ることに。『おつまみ横丁』（池田書店）、『みその料理帳』『のっけパン100』（ともに主婦と生活社）など著書多数。

本書の内容に関するお問い合わせは、**書名、発行年月日、該当ページを明記**の上、書面、FAX、お問い合わせフォームにて、当社編集部宛にお送りください。**電話によるお問い合わせはお受けしておりません。**
また、本書の範囲を超えるご質問等にもお答えできませんので、あらかじめご了承ください。
FAX：03－3831－0902
お問い合わせフォーム：http://www.shin-sei.co.jp/np/contact-form3.html

落丁･乱丁のあった場合は、送料当社負担でお取替えいたします。当社営業部宛にお送りください。

ほんとに旨い。ぜったい失敗しない。ラクうまごはんのコツ

著　者　瀬尾幸子
発行者　富永靖弘
印刷所　公和印刷株式会社

発行所　東京都台東区台東２丁目24　株式会社　新星出版社
〒110-0016　☎03（3831）0743

ISBN978-4-405-09260-0